Excelencia en el manejo del *STRESS*

El Arte
de hacer de la vida
un Arte

Claudio Zapata

Título de la obra: EXCELENCIA EN EL MANEJO DEL STRESS.

Derechos Reservados © en 1994, por EDAMEX, S. A. de C. V. y Claudio Zapata.

Portada: Dpto. Artístico de EDAMEX.

Ficha Bibliográfica:
      28. Superación personal.

ISBN-968-409-788-3

Segunda edición: octubre de 1994.

EDAMEX, Heriberto Frías 1104, Col. del Valle, México 03100. Tel.: 559-8588. Fax: 575-0555 y 575-7035. Si llama de Estados Unidos, marque 91-525 antes del número.

Impreso y hecho en México en papel reciclado.
Printed and made in Mexico with ecological paper.

EXCELENCIA EN EL
MANEJO DEL STRESS

El stress no es una enfermedad: es un extraordinario mecanismo biológico que prepara al organismo para "pelear o huir". Ese mecanismo ha ayudado al hombre a sobrevivir en un mundo hostil a lo largo de millones de años. En la actualidad el stress puede significar vida o muerte: la diferencia reside en la actitud mental de quien lo padece, de la forma de interpretarlo y aprovecharlo.

Esta obra se la dedico con profundo cariño a Erika, mi hija, quien se ha empeñado en demostrar que En casa del herrero, azadón de palo. *Ojalá que pronto entienda que el stress puede hacerle mucho daño.*

El autor

LOS *LIBROS* HACEN   *LIBRES* A LOS HOMBRES

HERIBERTO FRÍAS 1104   **EDAMEX**   MÉXICO, D.F. 03100

La vida es mayormente un proceso de adaptación a las circunstancias en las que existimos. Un perenne toma y daca ha tenido lugar entre la materia viva y su entorno inanimado, entre un ser vivo y otro, desde el amanecer mismo de la vida en los océanos prehistóricos. El secreto de la salud y la felicidad descansa en el ajuste exitoso a todas las condiciones cambiantes de este planeta; los castigos por fallar en este gran proceso de adaptación son la enfermedad y la infelicidad.

Hans Selye

NADA EN EXCESO

Inscripción grabada en el Templo de Apolo en Delfos.

Índice

Casi todas las ideas fundamentales de la ciencia son esencialmente simples y pueden, por regla general, ser expresadas en un lenguaje comprensible para todos.

Albert Einstein

PRIMERA PARTE

1. Introducción

Todo mundo habla acerca del stress.

Y se dicen toda clase de barbaridades en relación a este fenómeno biológico que ha acaparado la atención de la sociedad moderna.

Se dice incluso que se trata de una nueva enfermedad que está matando al hombre.

Pero es falso que el stress sea una enfermedad. Sin embargo, sí es cierto que está matando al hombre.

¿Qué es el stress entonces?

Pues en realidad es algo maravilloso. Existe en nuestro planeta desde el instante mismo en que apareció la primera manifestación de vida. Es un extraordinario mecanismo biológico que prepara al organismo para "pelear o huir". Mecanismo que ha ayudado al *homo sapiens* a sobrevivir en un mundo hostil a lo largo de una evolución de millones de años.

Sólo que ahora, en el mundo moderno, ese mismo mecanismo biológico que antaño ayudara al hombre a sobrevivir, hoy lo está matando. Y es necesario, urgente, comprender cómo se produjo esta abismal diferencia.

El stress puede significar vida o significar muerte, la diferencia depende básicamente de la estructura mental del individuo, de su forma de interpretar todo lo que ocurre a su alrededor.

La voz de alarma de que el stress podía significar muerte fue dada apenas hace unos cuantos años, a mediados de 1977, que fue cuando se difundió entre la comunidad científica norteamericana el resultado de un estudio realizado por un grupo de asesores científicos de la Casa Blanca, allá en Washington, mismo que causó perplejidad al quedar al descubierto el gravísimo problema de salud que estaba causando el stress, afectando a millones de estadounidenses al producir notables desajustes fisiológicos, psicológicos y sociales, cuyo costo para la nación norteamericana era de poco más de cien mil millones de dólares al año. Y lo más preocupante, tal como las evidencias del informe lo señalaban, que las enfermedades directa o indirectamente relacionadas con el stress estaban aumentando de manera constante.

Diez años después, en 1987, el costo del stress en Estados Unidos había ascendido a ciento cincuenta mil millones de dólares anuales, confirmándose las predicciones del primer informe, que había advertido que el impacto del stress en la sociedad aumentaría, pudiendo incluso afectar seriamente la salud de grupos importantes de la población mundial, tal como ha sucedido y que podemos constatar en 1994.

En 1979, mientras estudiaba fisiología en la Universidad de California de Santa Cruz, tuve la oportunidad de conocer al stress en toda su aterradora dimensión. Sin embargo, el maestro, el doctor Koblats, ponía especial énfasis en señalar los dos aspectos del stress, advirtiendo que era una fuerza biológica extraordinaria, capaz de destruir a un hombre o con suficiencia para convertirlo en dios.

Este poder de vida o muerte del stress, ha podido revelarse en toda su magnitud en una época en que la humanidad vive la más intensa de sus crisis de crecimiento, entre cuyas manifestaciones podemos señalar la explosión demográfica, el deterioro de ecosistemas, el escaso o nulo respeto a los derechos humanos, la escasez de alimentos, los necios enfrentamientos ideológicos, la pobreza y la riqueza extremas. Vivencias cotidianas y estremecedoras de una especie fuera de control. Manifestaciones de una crisis que está sometiendo al *homo sapiens* a presiones nunca antes experimentadas en época alguna de su historia sobre el planeta Tierra.

Conjunto de estímulos que por su novedad, intensidad, diversidad y duración, han resultado ser una carga excesiva para la estructura mental y emotiva del hombre moderno, cuya evolución parece haberse detenido ante la progresiva aceleración de los problemas generados por el desarrollo tecnológico dentro del contexto de eso que solemos llamar "progreso".

Como consultor y especialista en "manejo del stress", llevo varios años experimentando –tanto en la práctica clínica como fuera de ella–, siempre buscando métodos eficaces y prácticos para controlar el stress. Empecé dictando mi seminario "Calidad Total de Vida" en varias ciudades de la Unión Americana. Su originalidad siempre ha sido la utilización de instrumentos de biorretroalimentación (biofeedback) para enseñar gráficamente a los participantes, los cambios fisiológicos que tienen lugar tanto en un estado de stress agudo como en otro de relajamiento.

En Estados Unidos el éxito de mis seminarios fue alentador, básicamente porque los estadounidenses ya tenían conciencia de los peligros del stress, por lo que estaban dispuestos a cambiar sus actitudes mentales y su estilo de vida en aras de una mejor calidad de vida. Pero cuando regresé a México, con gran tristeza descubrí que mis paisanos todavía no habían oído hablar del stress, por lo que a nadie le interesaba manejarlo o controlarlo. No fue sino hasta 1989, que al ejecutivo mexicano y a las empresas nacionales comenzó a preocuparles este fenómeno. Antes de ese año la gente estaba muy ocupada buscando al brujo o la píldora mágica que curara todos sus males.

Cuando la oportunidad llama a la puerta, algunas personas se encuentran en el jardín de atrás buscando tréboles de cuatro hojas. Eso era precisamente lo que estaba sucediendo, pues cada vez que me refería al stress como causa del 80% de los padecimientos de la humanidad, la gente me miraba como se ve a un retrasado mental que no sabe de lo que está hablando. Incluso, en el otoño de 1983, durante un viaje de vacaciones a mi país, un grupo de médicos infectólogos me invitó a hablar sobre el stress en la Universidad Autónoma de Guadalajara, y cuando cité a la psiconeuroinmunología como la ciencia que vendría a revolucionar el tratamiento de muchas enfermedades relacionadas con el stress, los médicos voltearon a verse unos a otros, luego murmuraron algo que no entendí y, finalmente, acabaron regalándome una sonrisa. Presentí que estaban burlándose de mí. No sé qué hubiese sucedido si me atrevo a citar a la psiconeuroinmunoendocrinología, que era una de las materias que cursaba en la Universidad de California de Santa Cruz.

La luz roja advertía sobre los peligros del stress en Estados Unidos; pero era una luz que aún no se había encendido en mi país. Las opiniones acerca del stress, incluidas las de los médicos, estaban divididas por los abismos de la ignorancia. Apenas uno de cada cien médicos conocía el "síndrome de adaptación general" del doctor Hans Selye. Decidí entonces —mientras se despertaba en mi país— escribir un libro. El título de esta obra fue *Aprende a Vivir sin Dolor de Cabeza*. En febrero de 1986, apareció en librerías el libro de la portada azul, que tantas satisfacciones me daría. La crítica médica le dio una cálida bienvenida y el público que sufría de dolor de cabeza crónico lo recibió con los brazos abiertos.

La primera edición se agotó rápidamente. La segunda también. Próximamente se imprimirá la quinta edición en México, la segunda en Colombia, la segunda en portugués en Brasil, la segunda en Italia y la primera en Alemania como póstumo homenaje a mi madre. La edición especial de lujo del Círculo de Lectores, también se agotó con gran rapidez. El éxito de este libro se debió no solamente al interés que despertaba el dolor de cabeza, sino a la amplitud con la que traté el tema del stress en sus páginas. Motivo por el cual *Aprende a Vivir sin Dolor de Cabeza*, fue parte fundamental del material de trabajo de mi seminario "Calidad Total de Vida", calificado por muchas empresas nacionales y extranjeras como "excelencia en el manejo del stress" calificativo que decidí convertirlo en título de mi séptimo libro, mismo que el lector ahora tiene entre sus manos y que se ha convertido en material permanente de mi seminario.

Este libro es mi aportación al mejor entendimiento de ese fenómeno biológico –el stress– que está haciendo estragos entre la humanidad, particularmente entre la gente activa, que como consecuencia de su gran dinamismo ha empezado a padecer alergias nerviosas, ansiedad, angustia, asma, dolor de cabeza, colitis nerviosa, depresión, dolor de cuello y espalda, estreñimiento, gastritis, hipertensión, infartos, insomnio, migraña, nervios, obesidad, problemas sexuales, úlcera péptica y una marcada adicción al alcohol, tabaco, café y drogas.

Vayamos pues, juntos, a escarbar entre la hojarasca del tiempo para entender cómo nuestros heredados instintos, los que hace cientos de miles de años ayudaron a nuestros ancestros a sobrevivir, ahora nos están enfermando y destruyendo.

Si el hombre moderno no aprende cuanto antes a adaptarse a un mundo de cambios acelerados, morirá irremediablemente víctima de sus propios mecanismos biológicos de supervivencia. Mecanismos biológicos cuya esencia fundamental es el stress.

Stress que puede ser la sal y pimienta de la vida.

Stress que puede convertirse en el abrazo de la muerte.

Todo depende de nuestra actitud mental frente a los estímulos constantes que nos ofrece la vida moderna.

Aprendamos a convertir al stress en nuestro mejor amigo; de esta manera aprenderemos *el arte de hacer de la vida un arte*.

A aquellos lectores ansiosos que acostumbran saltarse las páginas de los libros como si fueran obstáculos a los que hay que evitar, les recomiendo que empiecen a leer este libro en la Segunda Parte, que es en donde encontrarán consejos prácticos y eficaces para manejar al stress con eficiencia. Pero no me cansaré de decir que para manejar al stress de manera real, primero es necesario conocerlo, saber de qué se trata, y precisamente la Primera Parte cumple sobradamente este propósito. La elección de por dónde empezar queda, pues, en manos del lector.

Por tanto, empiece a leer este libro por donde usted quiera, pero hágalo hoy, porque el stress puede darle un susto mayúsculo en cualquier momento.

2. Semántica

Existe una interesante y simpática polémica en relación a la forma correcta en que debe escribirse la palabra *stress* en español.

Los puristas de la lengua insisten en que debe ser *estrés*, pero nunca *stress*, como yo suelo hacerlo en todos mis libros y artículos.

Empezaré diciendo que no sólo respeto, sino que acepto los argumentos en el sentido de que si se observan las reglas gramaticales de nuestro idioma, la manera correcta de escribir este vocablo sería *estrés*. Pero ocurre que la mayoría de los puristas ignora un aspecto muy importante acerca del stress, al que me referiré a continuación y que explica, por sí mismo, la razón de mi obstinación en escribir la palabra *stress* tal como se escribe en otros idiomas aparte del inglés.

Desde el siglo pasado se ha empleado la palabra *stress* en el idioma inglés, particularmente en ingeniería para denotar los efectos de una fuerza actuando contra una resistencia. Así por ejemplo, los cambios inducidos en una liga de hule al estirarla, o en un resorte al presionarlo, son debidos al *stress*.

Posteriormente, el término comenzó a usarse también en biología, cuando su significado se relaciona con el esfuerzo orgánico o la tensión nerviosa. Luego, ya en este siglo, el distinguido fisiólogo de Harvard, doctor Walter B. Cannon –quien también introdujera la palabra "homeostasis" al estudio de la fisiología–, empezó a utilizar el término *stress* para referirse al esfuerzo causado por un agente que ejercía presión sobre un sistema determinado para producir homeostasis (equilibrio orgánico), que es el estado normal y estable del organismo.

En cualesquiera de los casos citados, el vocablo *stress* bien pudo haber sido traducido al castellano como *estrés*, sin perjuicio alguno de su significado. Pero tratándose, no de la palabra, sino del revolucionario concepto biológico del doctor Hans Selye, en que el término *stress* cobra una dimensión y significado diferente dentro del contexto del "síndrome de adaptación general", resulta perturbador traducir el concepto como si se tratara de la palabra, porque hacerlo propicia la confusión, como de hecho ha estado ocurriendo cuando médicos y legos aseguran que el *stress* es un estado nervioso, de ansiedad o de angustia; lo cual es falso, puesto que el *stress* produce estos estados, pero no es estos estados.

La acepción precisa del concepto *stress* que siempre manejó el doctor Selye es la siguiente: "El stress es la respuesta inespecífica del organismo a cualquier demanda". El significado del vocablo que acuñara el doctor Hans Selye, nunca tuvo relación alguna con la palabra *estrés*, puesto que ésta únicamente traduce al castellano el significado que tiene la palabra *stress* en inglés. En otras palabras, el concepto *stress* del doctor Selye no tiene traducción.

Esta postura de la "no traducción", la defendió Hans Selye frente a los Colegios y Academias de diversas lenguas. En 1946 se presentó ante los miembros del Colegio de Francia, entre los que se encontraban los más distinguidos hombres de letras franceses, quienes en aquella época defendían con vehemencia la pureza del idioma francés ante la poderosa influencia del idioma de los estadounidenses, vencedores en la Segunda Guerra Mundial.

Después de la brillante exposición que hiciera el doctor Selye en idioma francés al hablar sobre el "síndrome de adaptación general", surgió la polémica en el seno del Colegio de Francia acerca de cómo traducir al francés el vocablo *stress*. Se manejaron y eliminaron términos tales como "dommage", "agression", "tension", "détresse". Finalmente, se llegó a la conclusión unánime de que no existía un equivalente exacto que expresara con claridad el concepto del doctor Selye, razón por la cual se decidió acuñar un neologismo. La palabra escogida fue *le stress*, o sea, *el stress*, a la que se otorgó solemnemente el género masculino.

El doctor Hans Selye obtuvo resultados parecidos en otros Colegios y Academias de lenguas europeas, incluidas la portuguesa y la española, aunque no todas aprobaron el neologismo con la celeridad que lo hiciera el Colegio de Francia. Por ejemplo, en diccionarios de idioma español no se incluyó *el stress* sino hasta 1990, no apareciendo por ningún lado el termino *estrés*. El sentido común había prevalecido pese a la caprichosa insistencia de algunos puristas de la lengua, a quienes poco importaba crear confusión y entorpecer la divulgación científica.

Por último, es importante aclarar que el concepto *general adaptation syndrome* se traduce al castellano como "síndrome de adaptación general", y no como "síndrome general de adaptación", error que se está cometiendo con harta frecuencia.

3. Naturaleza del stress

Tengo la esperanza de que la pregunta, ¿cuál es la naturaleza del stress? se convierta en un cuestionamiento fundamental en la vida de todo ser humano, porque toca muy de cerca a la esencia misma de la vida, de la enfermedad y de la muerte.

Entender bien la naturaleza del stress permitirá al médico practicar medicina preventiva y utilizar métodos menos agresivos en el tratamiento de la enfermedad; pero lo más importante, es que este conocimiento nos ofrece, a cada uno de nosotros, la perspectiva de un nuevo estilo de vida, cuya premisa fundamental es ayudarnos a guiar nuestras acciones siempre de conformidad con las leyes de la naturaleza. Hacerlo de esta manera puede permitirnos cumplir cien años con calidad de vida.

El stress es parte integral de nuestro esquema biológico, y sin él habría muy poca actividad constructiva y casi no habría cambios positivos en la existencia de las personas. Nadie puede vivir sin experimentar cierto grado de stress todo el tiempo. Dos de las más importantes características de la vida: el instinto de conservación y el instinto de procreación, no podrían realizarse sin la intervención del stress. En rigor, el stress es la sal y pimienta de la vida, puesto que toda emoción o actividad produce stress; pero también puede ser el abrazo de la muerte cuando se genera constante y prolongadamente.

Y aunque no podamos evitarlo, y tampoco sus efectos mientras estemos vivos, sí podemos aprender a mantener en su mínima expresión sus nocivos efectos, lo que nos permitirá evitar muchas de las enfermedades que, en gran medida, se deben a errores en nuestra respuesta de adaptación al stress, más que a daños directos causados por gérmenes patógenos o venenos introducidos a nuestro organismo. Muchas enfermedades nerviosas, alta presión arterial, úlcera gástrica, así como cierto tipo de desarreglos sexuales, alérgicos e inmunológicos no son sino enfermedades de adaptación a un stress crónico, el cual se manifiesta en la segunda etapa del síndrome de adaptación general, al que podemos considerar como la culminación de toda una vida de estudio dedicada a entender el fenómeno biológico llamado stress, bautizado así por el doctor Hans Selye, fundador del Instituto Internacional del Stress en Montreal, Canadá, científico fuera de serie que fue considerado, hasta el día de su muerte acaecida el 16 de octubre de 1982, como la máxima autoridad en materia del stress.

En la Figura No. 1 se pueden apreciar las tres etapas del síndrome de adaptación general del doctor Hans Selye. Si seguimos el desarrollo del síndrome a través del tiempo, notaremos que atraviesa por un típico patrón trifásico:

1. Reacción de alarma (stress agudo)
2. Etapa de resistencia (stress crónico)
3. Etapa de agotamiento (enfermedad y muerte)

La reacción de alarma se inicia en el momento exacto (x) en que un ser humano se enfrenta a un estímulo o agente que produce stress. Si dicho estímulo es muy intenso (descarga eléctrica violenta, quemaduras graves, frío extremo) y el organismo no es capaz de adaptarse, el individuo muere. Pero si el agente no es muy intenso y permite que el organismo resista, la curva ascenderá por arriba del nivel normal de resistencia (homeostasis o

Síndrome de Adaptación General

1. Reacción   2. Etapa de   3. Etapa de
   de alarma   resistencia   agotamiento

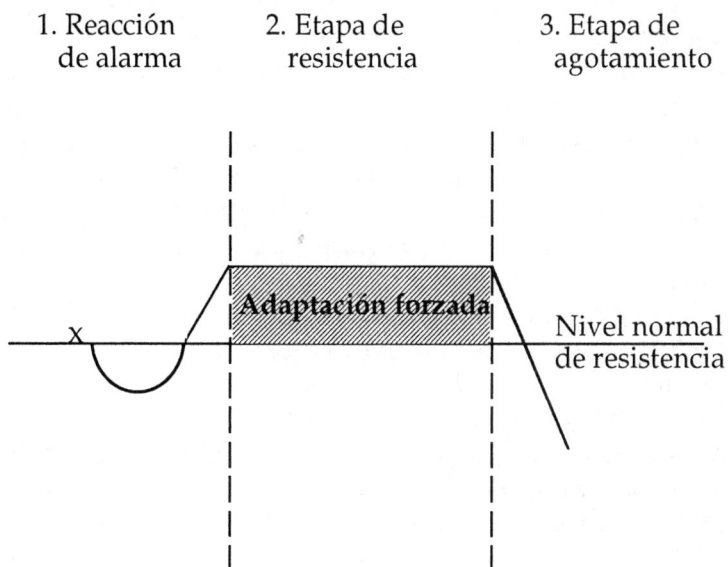

Adaptación forzada

x

Nivel normal
de resistencia

Figura No. 1

equilibrio orgánico) hasta dar principio a la segunda etapa del síndrome de adaptación general, que es la etapa de resistencia, en la que el stress se convierte en algo permanente, crónico. Y si esta etapa es intensa y se prolonga demasiado tiempo, tarde o temprano se manifestará la etapa de agotamiento, en la que la enfermedad, o incluso la muerte, harán su aparición.

Por ejemplo, si un ejecutivo logra adaptarse a trabajar bajo presión por las crecientes exigencias de la empresa, su organismo se encuentra permanentemente en la etapa de resistencia, sufriendo un enorme desgaste por el esfuerzo de adaptación. El ejecutivo, especialmente si es joven, puede interpretar ese esfuerzo de adaptación como algo natural en la persecución del éxito. Sólo que eso que él considera "natural" puede provocarle un infarto y la muerte.

El doctor Hans Selye decía que el stress es el grado de desgaste y rompimiento que se produce en el organismo durante la etapa de resistencia. Y en su afán por probar la veracidad de sus observaciones en relación al síndrome de adaptación general, llevó a cabo una serie de interesantes experimentos con ratas de laboratorio, a las que expuso, de diferente manera y por periodos prolongados, a estímulos generadores de stress.

En uno de estos experimentos colocó a cien ratas en una habitación refrigerada en que la temperatura se encontraba muy cerca del punto de congelación. Las ratas, gracias a su pelambre, soportaron bien esta baja temperatura, aunque durante las primeras cuarenta y ocho horas ya habían desarrollado manifestaciones típicas de stress. Esto pudo comprobarse sacrificando a diez ratas tomadas al azar: todas ellas tenían glándulas suprarrenales anormalmente grandes, glándula timo y nódulos linfáticos encogidos, y úlceras estomacales.

Luego se cambió de lugar a veinte de estas ratas para probar su resistencia a temperaturas aún más bajas. Se les mantuvo así durante cinco semanas, al cabo de las cuales mostraron una total adaptación a temperaturas bastante más bajas del nivel de congelación. Aparentemente se habían adaptado, pero en realidad todas las ratas se encontraban en la etapa de resistencia del síndrome de adaptación general, era evidente que su resistencia había subido por encima del nivel normal.

Se decidió entonces dejarlas en el mismo sitio y a la misma temperatura para averiguar si su adaptación era duradera. Pero no lo fue. A los cuatro meses comenzaron a morir; al sexto mes no quedaba ninguna de aquellas ratas de laboratorio. Habían entrado a la etapa de agotamiento, que en este caso significó muerte. Lo cual quiere decir que se puede entrenar en adaptabilidad a cualquier mamífero —llámese rata u *homo sapiens*— con un propósito determinado; pero eventualmente el intenso desgaste y rompimiento del organismo, provocado por el esfuerzo de adaptación a determinada situación, causa enfermedad o muerte.

Como consultor en el manejo del stress frecuentemente tropiezo con jefes o gerentes que se vanaglorian de provocar un alto grado de stress entre sus secretarias y subalternos. Lo hacen pensando que solamente presionando a las personas, éstas rinden más. Siendo este error originado por ignorancia científica el que más problemas de salud está causando en empresas e instituciones.

Soy un convencido de que hay otras formas de mandar e ir por la vida. Acepto que es necesario exigir que la gente sea eficiente y productiva, pero tengamos especial cuidado con el stress que provocamos en ella, pues para algunas personas éste puede ser tan intenso que quizá hasta les provoque la muerte.

Por eso trabajar diez y ocho horas en algo que nos gusta mucho no puede hacernos daño, porque no existe esfuerzo de adaptación. Pero trabajar seis horas en algo que nos disgusta mucho, puede causarnos enfermedad. Éste es el mensaje que el doctor Hugo Selye dio al mundo. Éste es el mensaje que doy en mi seminario "Calidad Total de Vida".

4. Reacción de alarma

Hace ochenta mil años cuando el hombre primitivo tenía que sobrevivir en una jungla de constantes peligros, necesitaba un mecanismo biológico eficiente que lo preparara instantáneamente para pelear o para huir; de hecho lo tenía, un extraordinario mecanismo de stress agudo (reacción de alarma) que había heredado de sus antepasados a través de una evolución de millones de años, tiempo durante el cual se produjo un perfeccionamiento excepcional de su funcionamiento.

Este eficiente y automático mecanismo biológico (sistema nervioso simpático) era en rigor un salvavidas cuando el tigre estaba próximo a saltar sobre alguno de aquellos nómadas, que pasaban la mayor parte de sus vidas expuestos a los peligros de un medio ambiente en el que únicamente sobrevivían los más fuertes y astutos.

En el preciso momento en que el hombre primitivo se percataba de la presencia amenazadora del tigre, instantánea y automáticamente se disparaba su reacción de alarma, que lo preparaba fisiológicamente para pelear o para huir. En un segundo escaso, el maravilloso mecanismo biológico aumentaba de diversas maneras la capacidad del cuerpo humano para llevar a cabo una acción enérgica ante una situación de peligro.

Reacción de alarma que es la primer etapa del síndrome de adaptación general, y que se caracteriza por las siguientes funciones biológicas:

1. Liberación masiva de adrenalina
2. Aumento en el ritmo cardiaco
3. Aumento en la fuerza del latido del corazón
4. Aumento en la presión arterial
5. Dilatación de arterias principales
6. Constricción de vasos sanguíneos de la periferia
7. Aumento en el índice de coagulación de la sangre
8. Dilatación de los bronquios
9. Suspensión de la actividad estomacal
10. Liberación de las reservas de glucosa
11. Aumento en la actividad cerebral
12. Aumento en la fuerza muscular
13. Activación de glándulas sudoríparas
14. Dilatación de la pupila
15. Otra serie de cambios fisiológicos, incluida la activación del sistema endocrino.

El mecanismo de reacción de alarma había generado instantáneamente una considerable cantidad de energía biológica que permitía al hombre primitivo enfrentarse al tigre o huir. Todo sucedía en un segundo, de manera automática, sin él haberlo pensado siquiera. Su "sistema nervioso autónomo" se había encargado de dar las órdenes a través de su rama simpática que, entre otras cosas, activaría a la médula de las glándulas suprarrenales para liberar una dosis masiva de adrenalina que, una vez incorporada al torrente sanguíneo, producía por su cuenta otra serie de cambios fisiológicos importantes. El extraordinario mecanismo biológico había preparado de golpe a nuestro antepasado para pelear o huir.

Su corazón latía con más fuerza y a un ritmo acelerado para transportar más efectivamente la sangre a todo el organismo, que la necesitaba por la emergencia. Las arterias principales se habían dilatado y la presión arterial había aumentado para facilitar el flujo del vital líquido a los órganos principales. Se produjo constricción de vasos de la periferia y aumentó el índice de coagulación de la sangre con el objeto de disminuir al máximo el riesgo de hemorragias fatales en caso de heridas. Los bronquios se dilataron y su respiración se aceleró para responder a la demanda adicional de oxígeno de todo su cuerpo y para facilitar la rápida eliminación de bióxido de carbono. La actividad estomacal se había suspendido para que la sangre allí concentrada pudiera canalizarse a otras áreas para hacer frente al peligro. El hígado liberó sus reservas de glucosa para activar al máximo el funcionamiento del cerebro y dar mayor fuerza a todos los músculos. Se activaron las glándulas sudoríparas para refrescar al organismo y ayudar a eliminar parte de los desechos, producto de una gran actividad biológica de intercambio energético. La prueba visible de todos los cambios que le habían ocurrido a nuestro ancestro eran sus pupilas completamente dilatadas. El hombre de las cavernas estaba listo para pelear o para huir. Su extraordinario mecanismo de reacción de alarma (stress agudo) se había encargado de todo. El hombre primitivo decidió pelear contra el tigre.

Con sorprendente agilidad eludió varios embates del felino, que de un zarpazo había logrado herirlo en un muslo. Pero se impuso la astucia y fuerza de nuestro antepasado que, con su lanza de madera puntiaguda, atravesó el corazón de su enemigo. Ni siquiera se percató de la herida en la pierna. Paseó la mirada a su alrededor y al darse cuenta de que ya no existía peligro alguno, comenzó a lanzar una serie de fuertes sonidos guturales para atraer la atención de los miembros de su tribu nómada. Luego se tendió a descansar bajo la escasa sombra de un arbusto. Se quedó dormido y no despertó sino hasta diez horas más tarde. Su mecanismo biológico de reacción de alarma le había salvado la vida.

Ochenta mil años después, una fría noche de invierno en la ciudad de México, María regresaba de su trabajo y caminaba rumbo a su casa por una calle oscura y solitaria, cuando de repente escuchó pasos que la seguían cada vez más cerca. Al voltear se dio cuenta que eran tres los rufianes que pretendían atacarla. Instantáneamente se disparó su mecanismo de reacción de alarma. Los fuertes y acelerados latidos de su corazón eran la mejor prueba de que su organismo había aumentado en diversas formas su capacidad para llevar a cabo una acción enérgica ante una situación de peligro. María decidió huir de sus enemigos.

Con una fuerza y agilidad que ella ignoraba tener corrió unos pasos y dio un salto increíble hasta alcanzar la rama de un árbol que se alzaba a más de tres metros de altura, a la que se encaramó con sorprendente habilidad y desde la cual comenzó a pedir auxilio con toda la fuerza de sus pulmones. Los rufianes jamás pudieron alcanzar aquella rama de árbol, por más que saltaron y saltaron, lo cual resulta explicable puesto que en ellos no se había disparado la reacción de alarma, por lo que no tuvieron ni la fuerza ni la agilidad de María. Los tres individuos decidieron huir al ver que la gente abría puertas y ventanas para averiguar que estaba sucediendo. A María hubo que bajarla con una escalera. Nadie le creyó que se había subido de un solo brinco. Su mecanismo biológico de reacción de alarma le había salvado la vida.

En ambos casos, el del cavernícola y el de María, el mecanismo de reacción de alarma funcionó a la perfección produciendo un stress muy intenso, pero de corta duración. Modelo de stress agudo, vital para la sobrevivencia, del que ha dependido la evolución de la especie humana a través de millones de años en un entorno hostil.

El problema actual radica en que la especie humana sigue evolucionando lentamente del molde del hombre de Neanderthal, mientras que los problemas a los que se enfrenta el hombre moderno evolucionan rápidamente, lo que está creando "tigres y rufianes de papel" que hacen que su mecanismo biológico de defensa se dispare a cada rato sin ser necesario.

Las presiones económicas y sociales son producto del dominio que ejercen en el mundo moderno los valores materiales, la alta competitividad, el fraude, la guerra, la mentira y la astucia del hombre para explotar al hombre. Situaciones en las que el individuo frecuentemente se ve obligado a adaptarse si es que desea seguir perteneciendo a la "sociedad" y al "statu quo", aceptando entre silencios y falsas sonrisas las imposiciones del "sistema", y al hacerlo vive constantemente en la etapa de resistencia, en la que el esfuerzo permanente de adaptarse puede ser preludio de enfermedad y muerte.

Por eso resulta tan importante que al activo hombre del mundo moderno se le proporcionen herramientas útiles y prácticas que eviten el daño orgánico que producen sus propios mecanismos de supervivencia. En la compleja sociedad en que vivimos, con sus refinados códigos de conducta, la reacción de pelear o huir se considera inapropiada en situaciones difíciles de estímulos intensos. Era válida en la época de las cavernas, no así en nuestro tiempo cuando únicamente se acepta en situaciones de peligro inminente.

Cuando el Jefe te niega el aumento de sueldo que tanto necesitas, no puedes romperle la cara de un puñetazo, por más ganas que tengas de hacerlo, y tampoco puedes huir de la situación. Tienes que hacerle frente con dignidad, tal vez hasta con una fingida sonrisa mientras te "tragas" el coraje. Pero por más calma que trates de aparentar, por dentro sientes que te hierve la sangre, percibes varios de los síntomas del disparo de la reacción

de alarma, como son aumento en el ritmo y fuerza del
latido del corazón, aceleración del ritmo respiratorio,
manos frías y sudorosas, músculos tensos, etcétera. Sin
darte cuenta, tu presión arterial se elevó y el hígado
liberó sus reservas de glucosa. Si acababas de comer, la
suspensión brusca de la actividad estomacal, segura-
mente te va a producir una indigestión. Tus pupilas
dilatadas revelan el estado de stress agudo en el que te
encuentras.

Y si a este "tigre de papel" le siguen otros, como una
auditoría fiscal, infracción de tránsito, pleito con la
suegra, cheque devuelto por falta de fondos, hijo ex-
pulsado del colegio o cónyuge enfermo, es casi seguro
que entonces la reacción de alarma se convierte en etapa
de resistencia (stress crónico) y tú empiezas a sentir
algunos de los síntomas clásicos del stress. Y si los
"tigres de papel" te siguen afectando sin que hagas nada
por remediarlo, tarde o temprano comenzarán a mani-
festarse estados más graves de enfermedad.

Es urgente entender que el stress agudo de la reacción
de alarma fue y sigue siendo un salvador de la vida
cuando nos encontramos ante una verdadera situación
de peligro; pero cuando el stress es continuo debido a
estímulos diversos y constantes –que no son más que
"tigres y rufianes de papel"–, el stress crónico que obliga a nuestro organismo a un esfuerzo constante de
adaptación, durante la etapa de resistencia se convierte
en un potencial asesino.

Hablar de un asesino, de muerte y de enfermedad a
algunos puede parecerles algo exagerado; pero cualquier
exageración es poca comparada con la temible realidad
de estragos causados por el stress. El doctor Hans Selye
lo sabía, por eso dedicó cincuenta años de su vida al
estudio de este interesante fenómeno biológico, que
cuando es entendido y manejado puede servirnos para
disfrutar intensamente ese milagro maravilloso que es
la vida.

5. Etapa de resistencia

Hemos visto que la reacción de alarma es una instantánea y compleja respuesta fisiológica que comprende la interacción de varios sistemas biológicos para producir un patrón de stress agudo, que puede salvar la vida de una persona ante una situación de peligro.

Las complicaciones comienzan cuando el estímulo que desencadenó el funcionamiento de este mecanismo biológico sigue presente indefinidamente o es seguido por otra serie de estímulos, porque entonces se manifiesta la segunda fase del síndrome de adaptación general, que es la etapa de resistencia, equivalente a un patrón de stress crónico, causante de enfermedad y muerte en la sociedad contemporánea.

En el inciso 15 de la reacción de alarma me referí a la activación del sistema endocrino pero sin entrar en detalles acerca de su funcionamiento que, durante la etapa de resistencia resulta de gran relevancia, ya que es durante un patrón de stress crónico cuando las hormonas del stress se convierten en activos agentes de destrucción del organismo.

Es conveniente aclarar que el concepto de stress comprendido dentro del síndrome de adaptación general del doctor Selye, resulta en extremo complejo, puesto que se refiere a intrincados mecanismos fisiológicos —especialmente durante la etapa de resistencia— que integran el eje neuroendocrino del stress, mismo que se ha convertido en tremendo azote de la humanidad al producir desgaste y rompimiento en el organismo mientras el individuo hace el esfuerzo de adaptarse a situaciones existenciales anormales. Esta complejidad pretendo simplificarla a través de esquemas biológicos simples y utilizando analogías que faciliten la comprensión del síndrome de adaptación general.

En la Figura No. 2 se aprecian claramente las diferentes etapas de la reacción de alarma. "A" corresponde a un estado de equilibrio orgánico (homeostasis) antes de que se produzca un estímulo generador de stress. En otras palabras, es un estado de paz y tranquilidad antes de que llegue el tigre, los rufianes o la suegra.

"X" es el momento preciso en que un estímulo hace que se active el mecanismo de alarma. Corresponde al instante en que el cavernario vio al tigre, en que María se percató de la presencia de los rufianes y en que el contador se enteró de la llegada del auditor fiscal.

"B" es la respuesta inmediata del organismo ante el estímulo, es el mecanismo de reacción de alarma generando una gran cantidad de energía biológica (stress agudo) para que el individuo haga frente a una situación de peligro.

"C" es el máximo grado de energía biológica disponible para que el cuerpo humano lleve a cabo una acción enérgica ante la emergencia.

"D" es la etapa en que el individuo utiliza y consume esa gran cantidad de energía biológica que generó la reacción de alarma. El cavernario la consumió peleando y matando al tigre. María la utilizó trepándose a un árbol.

"E" corresponde a un periodo de recuperación. El cavernario durmió durante diez horas y despertó como nuevo. María se tomó un té de tila y luego descansó viendo la televisión.

"F" es un nuevo estado de equilibrio orgánico alcanzado después de un periodo de recuperación.

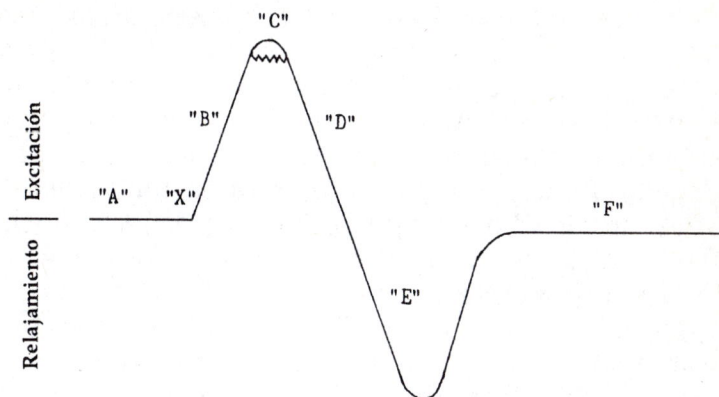

Figura No. 2

Después de la tempestad viene la calma. Tanto María como el cavernario estaban listos para enfrentar un nuevo peligro.

Ahora bien, si concentramos nuestra atención en el trazo que forman las líneas "B", "C" y "D", distinguiremos la silueta de un volcán; y si somos imaginativos nos daremos cuenta de que se trata del Popocatepetl, custodio ancestral de pueblos y culturas del Valle de México. Pues de ahora en adelante nos referiremos al Popo, como cariñosamente le decimos los mexicanos, cada vez que se trate de hablar de stress, agudo o crónico. El cavernario se subió al Popo cuando vio al tigre. María se subió al Popo cuando se percató de la presencia de los rufianes. Por eso, cuando llego a una empresa en la que dicto mi seminario "Calidad Total de Vida", es común que alguien diga:

—Cuidado con fulanito, Claudio, anda trepado en el Popo.

Se entiende entonces que "subir a la cúspide del Popo" es una reacción natural de nuestro organismo, incluso saludable siempre que iniciemos el descenso lo más rápidamente posible. Hacerlo así corresponde a un patrón de stress agudo, que significa vida. En cambio, cuando permanecemos indefinidamente en la cúspide del Popo, nuestro organismo entra en un patrón de stress crónico. Lo que significa que permanecer mucho tiempo en la cúspide nevada del Popo puede ocasionar la muerte por stress... o frío.

En la parte superior de la Figura No. 3 se puede apreciar la temible etapa de resistencia (patrón crónico de stress). Apareciendo del lado derecho las consecuencias, o sea la etapa de agotamiento. En esta figura las letras "A", "B" y "C" son idénticas a las de la Figura No. 2. La diferencia se manifiesta después de la letra "C", puesto que en un patrón crónico de stress no existe la fase de "pelear o huir" en la que se consume la gran cantidad de energía biológica generada por el mecanismo de reacción de alarma. Tampoco existe un periodo compensatorio de relajamiento ni un nuevo estado de equilibrio orgánico como el que se produce durante un profundo relajamiento.

La activación del eje neuroendocrino del stress, integrado por el sistema nervioso autónomo y el sistema endocrino, de hecho ocurre desde el momento en que se dispara el mecanismo de reacción de alarma; pero es a partir de la etapa de resistencia en que las hormonas del sistema endocrino se convierten en verdaderos agentes de destrucción.

En términos de actividad endocrina el hipotálamo realiza una vital función reguladora sobre la glándula pituitaria (o hipófisis), que es la "mamá" del sistema endocrino y la que controla a las demás glándulas del sistema: tiroides, paratiroides, páncreas, suprarrenales y gónadas. La pituitaria es el centro de producción y

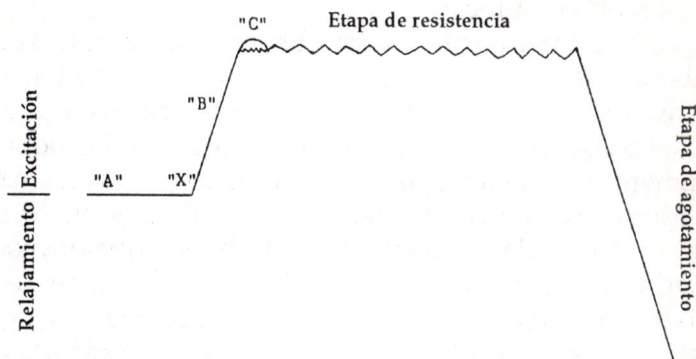

Figura No. 3

regulación hormonal, sus hormonas son descargadas directamente en el torrente sanguíneo y llevan mensajes específicos a otras glándulas endocrinas que, a su vez, liberan otras hormonas útiles para estimular otras funciones orgánicas.

Durante la etapa de resistencia (patrón de stress crónico) la pituitaria comienza a liberar vasopresina (primer hormona del stress), que al contribuir a contraer las paredes arteriales hace que aumente la presión arterial. Como segundo paso, la pituitaria libera a la hormona adrenocorticotrópica (la segunda y más temible hormona del stress), que actúa sobre la corteza de las glándulas suprarrenales para que éstas liberen corticoides anti-inflamatorios como la cortisona y el cortisol (tercera y cuarta hormonas del stress). Estos glucocorticoides aumentan el nivel de azúcar en la sangre (peligro para diabéticos), e inhiben ciertas funciones del sistema inmunológico, lo que, a corto plazo, facilita el desarrollo de todo tipo de infecciones virales y bacterianas; y a mediano y largo plazo puede contribuir al desarrollo de un cáncer.

Simultáneamente y como tercer paso, la pituitaria libera a la hormona tirotrópica (quinta hormona del stress), misma que actúa sobre la tiroides para que libere tiroxina (sexta hormona del stress), que estimula poderosamente el metabolismo en los tejidos, produciendo sudoración intensa, nerviosismo y temblores, así como un ritmo cardiaco y respiratorio acelerado que provoca que la persona se canse rápidamente. Finalmente y como cuarto paso, la ya citada hormona adrenocorticotrópica continúa estimulando la corteza de las glándulas suprarrenales, sólo que ahora éstas empiezan a liberar corticoides pro-inflamatorios como la desoxicorticosterona y la aldosterona (séptima y octava hormonas del stress). Estos mineralocorticoides elevan aún más la presión arterial, lo que puede producir rompimiento en las paredes internas de las arterias y causar daño severo a los riñones.

La serie de cambios fisiológicos que con anterioridad había producido el sistema nervioso autónomo durante la reacción de alarma, sumados a las alteraciones provocadas por la actividad endocrina de la etapa de resistencia que se acaba de describir, integran el eje neuroendocrino causante de ese stress que está destruyendo a la humanidad.

Por eso, subir al Popo y permanecer en la cúspide durante mucho tiempo es una forma suicida de transitar por la vida. Y resulta alarmante que muchos lo hagan sin saber el peligro que están corriendo. Es por esto que los seminarios de salud responsable que incluyen el manejo del stress, se han convertido en prioritarios. Pero hay que exigir que el expositor sea un profesional estudioso de la fisiología y la bioquímica cerebral.

El síndrome de adaptación general del doctor Hans Selye, es en rigor el "perfil psicofisiológico del stress", mismo que estudia a profundidad la psiconeuroinmuno-endocrinología. Perfil que nos muestra en su primer etapa un patrón de stress agudo útil para la sobrevivencia; mientras que en la segunda etapa nos presenta un patrón de stress crónico que se convertirá en causa de enfermedad y muerte, manifestaciones que aparecen en la tercera etapa del síndrome.

Durante la etapa de resistencia del síndrome de adaptación general, el organismo moviliza todas sus defensas para combatir activamente el estímulo generador del stress. Y mientras este periodo de resistencia tiene lugar, los distintivos indicadores de la reacción de alarma habrán desaparecido, dando la falsa impresión de que el cuerpo del individuo ha regresado a su estado normal de equilibrio orgánico, cuando en realidad se encuentra combatiendo vigorosamente al enemigo, que bien pueden ser estímulos producidos por presiones familiares, laborales, sociales o "tigres de papel", pudiendo ser estos estímulos tanto o más intensos que los que produce un tigre de carne y hueso.

De esta manera, cuando las defensas del organismo permanecen activadas demasiado tiempo, las reservas de energía del cuerpo humano se agotan rápidamente, dando lugar a la tercera etapa del síndrome de adaptación general, la etapa de agotamiento, misma que se distingue por la presencia de múltiples enfermedades de adaptación al stress.

Enfermedades de adaptación al stress como la ansiedad, depresión, hipertensión, infarto, migraña, úlcera gástrica o duodenal, así como ciertos desarreglos sexuales, alérgicos e inmunológicos, como la impotencia, anorgasmia, dermatitis nerviosa y frecuentes infecciones virales y bacterianas. La experiencia clínica me obliga a agregar las cefaleas tensionales, estreñimiento, insomnio y obesidad. Además, el aumento en el índice de alcoholismo, cafeinismo, drogadicción y tabaquismo siempre se manifiesta en proporción directa al índice de stress en el individuo.

Bien entendidas las etapas del síndrome de adaptación general, resulta más sencillo comprender la definición científica del stress que nos heredara el doctor Hans Selye:

"Stress es la respuesta inespecífica del organismo a cualquier demanda".

Lo que significa que cualquier cambio que altera el equilibrio orgánico provoca una respuesta biológica de adaptación al cambio, y la esencia de esta respuesta inespecífica de adaptación es el stress.

¿Por qué inespecífica?

Porque cada estímulo, ya sea externo o interno, provoca primero una respuesta específica, la que a su vez provoca una respuesta inespecífica de adaptación al cambio. Por ejemplo: la respuesta específica al calor es la sudoración, que a su vez provoca una respuesta inespecífica de adaptación al cambio, cuya esencia es el stress. Otro ejemplo sería el de un piquete de animal ponzoñoso, en que la respuesta específica del organismo es la inflamación de tejidos y la concentración de microorganismos alrededor del veneno para evitar que éste penetre al torrente sanguíneo, reacción que a su vez provoca una respuesta inespecífica de adaptación al cambio, cuya esencia es el stress.

Esto significa que nuestro organismo está constantemente respondiendo a toda clase de estímulos mediante respuestas inespecíficas de adaptación al cambio, por lo que el stress resulta ser nuestro compañero inseparable mientras estemos vivos. Lo importante es aprender a cambiar nuestras actitudes mentales y estilo de vida para permanecer el menor tiempo posible en la etapa de resistencia, y porque de no hacerlo nos acercaremos peligrosamente a la tercera etapa del síndrome de adaptación general: la etapa de agotamiento, en la que las manifestaciones de enfermedad y muerte son características *específicas y reales.*

6. Etapa de agotamiento

A lo largo de la historia, los seres humanos han sentido
la necesidad de construir una estructura de referencia
para organizar sus vidas y sus actividades sociales. Esta
necesidad de establecer un orden que explique el cómo
y el porqué de la diaria existencia, ha sido siempre el
principal ingrediente cultural de toda sociedad.

A este orden o estructura se le conoce con el nombre
de paradigma (modelo) o imagen del mundo, ya que es
la imagen que del mundo se forma una sociedad durante
varias generaciones. Y el aspecto que en mi opinión
resulta más sobresaliente de esta concepción del mundo,
es que los integrantes de una sociedad determinada se
adhieren a su imagen del mundo de una manera ¡prácticamente inconsciente!, sin notar siquiera de qué modo
dicha imagen afecta, no sólo las cosas que hacen, sino
también la percepción de la realidad que los rodea.

En la sociedad occidental moderna la globalización
de la economía es un claro triunfo de la tecnología al
servicio de una economía de libre mercado, en la que el
nivel de vida se mide por la cantidad de consumo anual
y que, por consiguiente, procura alcanzar un consumo
máximo junto a una pauta óptima de producción. Esto
significa que la sociedad está orientada plenamente al
trabajo, el beneficio y el consumo. El objetivo dominante
de la gente es ganar tanto dinero como le sea posible,
para adquirir un montón de artículos a los que la
sociedad relaciona con un alto nivel de vida. No poder

comprar estos artículos es sinónimo de fracaso, que se convierte en estímulo generador de stress. Por eso resulta vital, urgente, enseñar a la gente a manejar el stress que le provoca vivir en una sociedad tan demandante y demente.

Ya vimos que cuando un organismo es sometido a un stress intenso y prolongado, ese organismo tarde o temprano llegará a la etapa del total agotamiento, que se manifiesta a través de un infarto, una migraña, severos dolores musculares, una úlcera péptica sangrante o una crisis nerviosa grave. Cada cuerpo humano tiene su forma peculiar de protestar ante el mal trato, y vivir de manera permanente en la etapa de resistencia es la peor forma que existe para maltratar a un organismo.

Esta situación la comparo con la de manejar un auto deportivo de cinco velocidades, las que hay que estar cambiando frecuentemente para adaptar las revoluciones del motor a las condiciones de tráfico y terreno para no sobrecalentar la máquina ni los frenos. Un hábil conductor jamás acelera violentamente, y procura realizar sus cambios de velocidades de manera progresiva y sincronizada, siempre pensando en obtener de su vehículo deportivo el máximo rendimiento posible, pero sin producir sobrecalentamiento alguno, ya que éste causa desgaste y rompimiento.

Desgaste y rompimiento que igualmente se produce en el organismo de un ser humano cuando éste es conducido de manera inexperta a través de la vida, permanentemente en la etapa de resistencia desarrollando un patrón crónico de stress.

El problema del hombre radica en la imagen del mundo que controla su vida y destino. La inercia de la costumbre es superior a sus fuerzas. Por eso urge el restablecimiento del equilibrio y la flexibilidad en nuestras economías, en nuestras tecnologías y en nuestras instituciones sociales, lo cual sólo será posible si se realiza conjuntamente con un profundo cambio de valores en que lo más importante sea la naturaleza y el hombre. Aprender a "ser" es apremiante. Conocernos y preocuparnos por el planeta y sus habitantes debe ser más importante que atesorar valores.

El significado de vivir debe ser un fin. La jornada, el destino. El momento presente lo más importante. Es entonces cuando la vida cobra sentido; es entonces cuando las viejas distinciones que solemos hacer entre ganar y perder, entre éxito y fracaso, se desvanecen para siempre porque realmente hemos empezado a vivir. Y vivir significa estar subiéndonos y bajándonos del Popo constantemente, sin permanecer nunca en la cúspide.

Hablar de un nuevo modelo social más humano y ecológico a muchos puede sonarles a utopía, pero no lo es. Una poderosa red sin líderes trabaja para lograr un cambio radical en Estados Unidos. Sus miembros han roto con ciertos elementos clave del pensamiento occidental, y quizá hasta han roto la continuidad con la historia. Son personas que viven intensamente el stress de la vida, no lo sufren. Todos ellos son activistas desafiando al "sistema" desde adentro. El autor conoce y cultiva amistad con varios de estos conspiradores. De su conspiración hablo ampliamente en mi libro *Forja de Ejecutivos Innovadores*.

Vivir y participar en esta conspiración es una excelente herramienta para el manejo del stress.

7. Perfil psicofisiológico del stress

De muy reciente creación, la psiconeuroinmunoendocrinología es una especialidad académica íntimamente
relacionada con el stress. Esta nueva ciencia, cuyo nombre
bien parece un trabalenguas, es la encargada de estudiar
el efecto de la mente sobre el sistema nervioso, el sistema
inmunológico y el sistema endocrino, que son precisamente los tres sistemas en los que más se manifiestan los
efectos del stress.

La mente, concretamente la mente consciente, es en
rigor una gran generadora de stress. El autor se permitió
bautizarla con el nombre de "la loca de la casa", porque
piensa lo que le da la gana a la hora que le da la gana.
Permítame dar dos ejemplos de por qué la llamo "la loca
de la casa": Cuando cansados nos metemos a la cama en
la noche, al apagar la luz y poner la cabeza en la almo-
hada tenemos la mejor disposición de dormir para descansar. Pero es entonces cuando entra en acción "la loca
de la casa" que comienza a pensar en lo que hicimos y
no hicimos, en lo que salió bien y lo que resultó mal, en
los problemas de mañana, de pasado mañana y de la semana entrante. En fin, que la mente consciente se dedica
a pensar, pensar, pensar y pensar, y nosotros no podemos
conciliar el sueño por más esfuerzos que hacemos. "La
loca de la casa" domina la escena y nos produce insomnio.

Otro típico ejemplo de la influencia negativa de "la
loca de la casa" lo tenemos cuando estamos leyendo, por
ejemplo, un libro. Al terminar de leer una página nos

damos cuenta de que no prestamos atención a lo que decía, simplemente movimos los ojos en forma mecánica siguiendo las líneas de la página en cuestión, pero al llegar al final nos damos cuenta de que nuestra mente consciente no registró absolutamente nada del contenido de dicha página. ¿Por qué? Pues simplemente porque "la loca de la casa" estaba muy lejos del libro, pensando en algo diferente o resolviendo algún problema complejo.

Pero al pensar lo que le viene en gana, a la hora que le da la gana, "la loca de la casa" también es capaz de generar un alto grado de stress. Las personas preocuponas, cuando ven una y otra vez el reloj mientras esperan a un ser querido al que ya se le hizo tarde, están tensas y nerviosas, mientras "la loca de la casa" se imagina la peor de las tragedias. Otro ejemplo lo encontramos cuando estamos trabajando en nuestra oficina y pasa el jefe y nos mira con cara de pocos amigos en vez de darnos los buenos días. "La loca de la casa", recordando el grueso informe que dejamos sobre el escritorio del jefe la noche anterior, empieza a pensar que dicho informe le desagradó tanto, que está a punto de tomar la decisión de ponernos de patitas en la calle. Después de vivir unas horas el stress intenso del despido, de repente aparece el jefe y nos felicita por el gran esfuerzo que hicimos para redactar el informe que dejamos sobre su escritorio la noche anterior. Luego nos platica que venía de malas porque le acababan de chocar su automóvil nuevecito.

"La loca de la casa" es realmente una gran generadora de stress. Por eso resulta ser tan cierto que se diga que nuestra mente puede ser nuestra mejor amiga o nuestra peor enemiga. No sólo por todas las cosas negativas que es capaz de imaginar, sino también por su forma de interpretar los acontecimientos externos. El doctor Hans Selye solía decir: "No es lo que te pasa lo que importa, sino cómo lo tomas". Y en este "cómo" se encierra el gran secreto del arte de hacer de la vida un arte. Si tu mal tiene remedio, para qué te apuras. Y si no lo tiene, nada resuelves preocupándote.

Nuestra felicidad o infelicidad depende de nuestras actitudes mentales frente a los problemas de la vida. Hay que aprender a ver siempre el vaso medio lleno, y no medio vacío. En cierta ocasión me invitó doña Talina Fernández a su programa de televisión, y lo primero que me dijo fue que me había invitado porque yo era el único que decía que el stress es algo maravilloso. Y debo repetirlo: realmente es algo maravilloso. Pero luego doña Talina me dijo: "Pero denos una recetita para manejar el stress malo". Y mi respuesta fue la misma de siempre: "Vayan a la farmacia y compren mil pesos de pomada de concha".

Y en rigor eso es lo único que necesitamos para manejar el stress negativo. Pero tampoco se debe abusar de la pomada de concha porque entonces la gente se vuelve irresponsable, y de irresponsables ya estamos hasta la coronilla en nuestro país. Tomar las cosas con calma (concha) es una excelente receta contra el stress. Si un congestionamiento de tráfico te atrapa a medio Anillo Periférico, nada resolverás enojándote o maldiciendo a los culpables. Con esa actitud únicamente lograrás subirte a la cúspide del Popo y dañar tu organismo. Mejor acepta la situación de buena gana y ponte a escuchar música. Diviértete observando las caras de disgusto de los demás automovilistas. De esa manera tendrás plena conciencia del daño que todos ellos se están causando a sí mismos, mientras que tú disfrutas de lo inevitable. Esto es saber usar bien la pomada de concha.

Nuestra mente, "la loca de la casa", es la gran generadora de stress. En la medida en que esto no se nos olvide, habremos dado un paso gigantesco en materia de manejo del stress. Aprender a fijar la mente en un punto y cambiar nuestras actitudes mentales, son en realidad nuestras dos mejores herramientas para convertir el stress en nuestro mejor aliado. Todo esto se tratará en la segunda parte del libro.

En momento alguno debemos olvidar que el stress es parte integral del esquema biológico de todo ser viviente, sin stress habría muy poca actividad constructiva y casi no habría cambios positivos. Dos de las más importantes características de la vida: el instinto de conservación y el instinto de procreación, no podrían llevarse a cabo sin la intervención del mecanismo del stress. La vida sin estas reacciones naturales no sería vida. Lamentablemente "la loca de la casa" ha convertido al stress en su peor enemigo, puesto que hace reaccionar al organismo como si estuviera ante una situación de peligro que amenaza su vida, cuando sólo se trata de incidentes cotidianos sin mayor importancia. En otras palabras, "la loca de la casa" hace reaccionar al organismo a cada momento como si estuviera a punto de ser atropellado por un automóvil que se acerca a más de 120 kilómetros por hora, cuando en realidad lo que ocurrió fue que al abrir la puerta nos encontramos sorpresivamente con la suegra o con un cobrador.

"La loca de la casa" es la gran traicionera del género humano; es la que engendra la rabia, los celos, el rencor y la envidia. Es la que continuamente nos complica la existencia y no nos deja vivir en paz. Es la que nos inunda de pensamientos cuando nos proponemos no pensar en nada. Es, en resumidas cuentas, la gran generadora de stress en nuestra existencia. Por eso aprender a dominarla va a resultar importante y benéfico.

El gran filósofo danés Soren Kierkegaard opinaba que el stress surge siempre que nos enfrentamos a las posibilidades de nuestro propio desarrollo. Parece ser una regla existencial el hecho de no poder avanzar mientras no experimentemos ese viejo y familiar sentimiento atemorizante, como cuando tenemos que hablar en público, o lo que sentimos cuando nos sometemos a una entrevista para conseguir empleo, cuando somos anfitriones de una fiesta, o cuando hay que exponer un trabajo importante en la oficina. Todo produce stress. ¡Y qué bueno!, sin él la vida no sería vida.

Desde niños, lo descubrimos cuando tratamos de expander nuestros horizontes, por ejemplo: aprendiendo a andar en bicicleta o solamente al intentar formar parte de la representación teatral anual de la escuela. Más tarde, en la vida, sentimos un vacío en la boca del estómago cuando pensamos en la posibilidad de tener ese primer hijo, o arrancar a la familia de las raíces del viejo pueblo natal para buscar una mejor oportunidad en el otro extremo del país. En cualquier momento en que resolvamos con firmeza lograr algo que deseamos, nos asaltará el stress. Y seguirá siendo nuestro compañero de viaje por el resto de nuestros días. Por tanto conviene convertirlo en nuestro mejor amigo, no permitiendo jamás que sea nuestro enemigo, pues no hay que olvidar nunca que como enemigo puede, incluso, causarnos la muerte. En cambio, como amigo puede conducirnos al éxito. La diferencia depende de nuestra actitud mental; depende, pues, de la manera de pensar de "la loca de la casa" (mente consciente).

El stress es en rigor la respuesta inespecífica del organismo ante cualquier estímulo; en otras palabras, es el grado de reacción del organismo ante cualquier demanda, ya sea positiva o negativa, externa o interna, real o imaginaria, percibida como amenaza al orden existencial o a la vida misma. Esto significa que prácticamente cualquier hecho o situación puede provocar stress, como por ejemplo, una amenaza de despido, un ascenso, una cachetada, un beso, un pagaré vencido, un billete de lotería premiado, un aguacero, una puesta de sol, un hogar inestable, un trabajo desagradable, tomar decisiones, no tomar decisiones, trabajar bajo presión, estrenar automóvil, chocarlo, etcétera.

La diferencia en la cantidad de stress que produce cada estímulo depende del grado de reacción de cada organismo. Reacción que se produce a través de la percepción, proceso mediante el cual damos significado particular a todo lo que nos sucede. Pero como todos somos diferentes, ante estímulos idénticos se producen reacciones individuales diferentes. Esto significa que la verdadera causa de la infelicidad humana no puede hallarse en el estímulo que genera al stress, por más amenazante que éste pueda ser, sino en la manera particular de reaccionar de cada individuo ante el estímulo. En otras palabras, no es lo que te pasa lo que importa, sino cómo lo tomas.

Es indiscutible que el stress está dejando su huella de fracaso, accidente, enfermedad y muerte por todas partes. Su presencia amenazante se percibe en las grandes ciudades, en grupos sociales diversos, en familias, en micro y macroindustrias, en fin, en todo tipo de organizaciones empresariales en donde la ansiedad, depresión, insomnio, dolor de cabeza, hipertensión, infarto, úlcera gástrica, así como ciertos desarreglos sexuales, alérgicos e inmunológicos son sólo algunas de las enfermedades de adaptación producidas por el stress.

En la medida en que el stress se generaliza entre los recursos humanos de las empresas, los síntomas comienzan a ser evidentes: retardos, ausencias, enfermedad crónica, accidentes de trabajo, conflictos interdepartamentales, liderazgo ineficaz, quejas del personal, apatía, desmoralización, chismes, rumores, quejas de clientes sobre productos o servicios.

Dentro de la estructura empresarial, los principales estímulos generadores del stress los divide el autor en cuatro grupos:

a) Ambientales: tipo de iluminación, exceso de ruidos, temperaturas extremas, vibración ligera pero continua, contaminación atmosférica por humo de cigarrillos o substancias químicas.

b) De Organización: estilos gerenciales, vacilación en la cúpula ante la toma de decisiones, tecnología inadecuada, carencia de sistemas administrativos apropiados, falta de control sobre sistemas establecidos, compadrazgos, favoritismo.

c) Individuales: exceso de responsabilidad sin entrenamiento previo, sobrecarga de trabajo, conflicto de roles en el organigrama, discrepancia entre carrera y ocupación.

d) De Grupo: liderazgo débil, insatisfacción generalizada, falta de espíritu de grupo, golpes bajos, antagonismo grupal.

e) Influencia de la Estructura Social Externa: dinámica familiar negativa, problemas financieros, presiones de status socio-cultural, crisis nacional en el ámbito político o económico.

La presencia y repetición de esta suma de estímulos generadores de stress necesariamente tiene su impacto en los recursos humanos de la organización empresarial. Presiones sobre el individuo que, por su reacción o respuesta, pueden clasificarse de la siguiente manera:

1) Cognoscitivos: dificultades en la concentración, olvidos frecuentes, bloqueos mentales, incapacidad para tomar decisiones.

2) Emocionales: irritabilidad ante la crítica, agresividad, depresión, ansiedad, apatía, frustración, complejo de culpa, pérdida de autoestima.

3) Conductuales: alcoholismo, tabaquismo, drogadicción, excesos alimentarios, propensión a sufrir accidentes, tartamudeo, movimiento incesante, tics nerviosos.

4) Fisiológicos: exceso de adrenalina, pulso acelerado, fuertes latidos de corazón, respiración agitada,
alta presión arterial, secreción excesiva de ácido
clorhídrico, liberación de las temibles hormonas
del stress, alergias, tensión muscular, disfunción
inmunológica o sexual, enfermedad aguda o crónica.

Consecuencias que motivan a la adopción inmediata de
un Programa Integral de Manejo del Stress que
comprenda educación en salud responsable, en cambio
de actitudes mentales y estilo de vida, en revisión de
valores humanos y en redefinición de metas existenciales.

Lo más importante de todo es comprender que la
mente consciente ("la loca de la casa") es la fuente
generadora de stress más importante en el individuo, tal
como puede apreciarse en la gráfica que aparece a
continuación, en la que claramente podemos apreciar la
gran sabiduría de la frase: "no es lo que te pasa lo que
importa, sino cómo lo tomas".

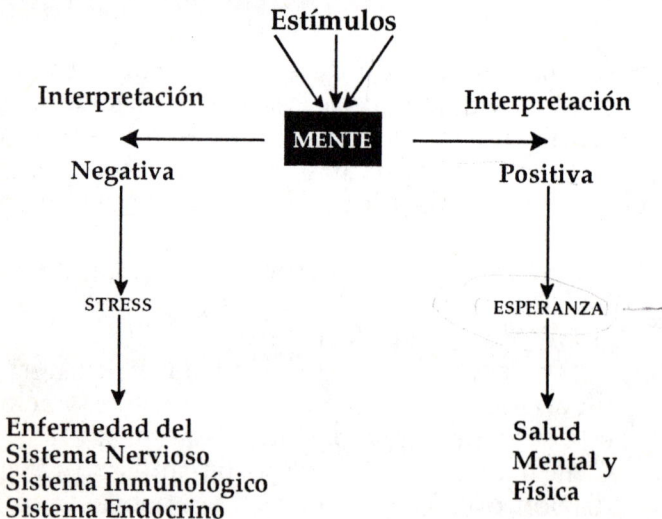

Estímulos

Interpretación   Interpretación

← **MENTE** →

Negativa   Positiva

STRESS   ESPERANZA

↓   ↓

Enfermedad del   Salud
Sistema Nervioso   Mental y
Sistema Inmunológico   Física
Sistema Endocrino

Vías de acción que estudia la Psiconeuroinmunoendocrinología

No hay peor enfermedad que el odio, ni mejor regalo que la salud. No existe fe superior a la confianza ni alegría más sana que la paz. Vive tu vida disfrutando cada instante, es demasiado corta para estarla sufriendo.

Claudio Zapata

SEGUNDA PARTE

8. La relajación como esquema prioritario

Aprender a relajarnos, y hay muchas maneras de hacerlo, es la manera más eficaz para bajarnos del Popo. Todo el que aprende a practicar la relajación diariamente está rompiendo de manera eficaz cualquier patrón crónico de stress que haya podido desarrollarse.

Pero resulta conveniente aclarar que lo ideal, no es aprender a bajarnos del Popo, sino aprender a cambiar nuestras actitudes mentales y estilo de vida que están contribuyendo a que nos subamos y nos quedemos arriba del Popo. Sólo que hay personas a las que les resulta prácticamente imposible cambiar sus actitudes mentales y estilo de vida, estas personas, por necesidad —para manejar el stress— tienen que aprender a practicar todos los días algún buen ejercicio de relajación. No hacerlo significa permanecer en la etapa de resistencia con los efectos que ya todos conocemos.

Personalmente me inclino por recomendar la práctica cotidiana de la meditación, que ha probado, desde la perspectiva de la fisiología médica, ser el antídoto por excelencia contra el stress. En 1983, cuando empecé a escribir el libro *Aprende a Vivir Sin Dolor de Cabeza*, hablar sobre la meditación resultaba arriesgado, ya que la gente lo miraba a uno de manera extraña y lo juzgaba charlatán. En 1992, todavía hay que manejar el concepto "meditación" con gran tacto para evitar malas interpretaciones, particularmente entre ejecutivos de mente analítica.

En la década de los años sesenta, los doctores Elmer y Alyce Green se dedicaron a investigar el control voluntario de funciones autónomas en el Departamento de Investigación Psicofisiológica de la Fundación Menninger, en Topeka, Kansas, en donde, con la ayuda de toda clase de instrumentos de biorretroalimentación (biofeedback), realizaron un trabajo brillante de investigación, labor en la que destilaron sus experiencias personales, sus observaciones con cientos de personas y muchos años de curiosidad científica, descubriendo cambios fisiológicos importantes en todas las personas que practicaban la meditación.

Simultáneamente, el doctor Kenneth R. Pelletier, distinguido investigador de la Escuela de Medicina de la Universidad de California de San Francisco, descubre del mismo modo que los esposos Green, que yogis y adeptos al budismo zen son capaces de provocar, a través de la meditación, el periodo compensatorio de relajamiento que no se produce durante la etapa de resistencia de un patrón de stress crónico. Esto permite a su vez la manifestación de estados de equilibrio orgánico característicos de la salud.

La esencia de la meditación es restringir la atención del meditador a un solo estímulo fijo durante un periodo determinado. Su propósito es que la mente del meditador no piense en nada durante ese espacio determinado de tiempo. Si se revisa la gran diversidad de técnica de meditación concentrativa que existen en diferentes culturas, se descubre que hay una similitud general en cuanto al método, y una coincidencia absoluta en cuanto a propósito, pues este último es conseguir que el individuo deje de pensar mientras fija su atención en un punto fijo, lo que le permitirá alcanzar un profundo relajamiento físico y mental.

Por esta razón la meditación se ha convertido en el antídoto por excelencia contra el stress.

El doctor Herbert Benson, distinguido cardiólogo de Harvard, dedicó varios años de su vida científica al estudio de los efectos de la meditación en cientos de pacientes con enfermedad cardiovascular. Luego de evaluar sus experiencias desde el punto de vista clínico, escribió su ya famoso libro *The Relaxation Response*, en el que adaptó el sistema oriental de meditación a la mente y modelo social de occidente, convirtiéndolo en un "best seller" leído y aceptado hasta por los enemigos acérrimos del misticismo oriental como fórmula de relajamiento. Dicho libro incluye gráficas comparativas de consumo de oxígeno, de ritmo cardiaco, de respuesta vascular, de presión arterial, de temperatura corporal y otros parámetros biológicos.

El método del doctor Benson, como todos los métodos orientales de meditación, es muy simple. Sugiere que el individuo, después de sentarse cómodamente en una silla, cierre sus ojos y relaje sus músculos lo más que pueda. En seguida, conforme el ritmo de su respiración se regulariza y se torna apacible, debe comenzar a pronunciar mentalmente la palabra "one" cada vez que hace una exhalación. Esto debe repetirlo durante veinte minutos, una vez en la mañana poco después de haberse levantado de la cama, y otra por la noche antes de cenar. El doctor Benson cita en su libro los halagadores resultados que obtuvo con la gran mayoría de sus pacientes.

Por otro lado, mi experiencia personal a través de la práctica clínica y mi seminario "Calidad Total de Vida", confirma plenamente la investigación realizada por los doctores Elmer y Alyce Green, Kenneth R. Pelletier y Herbert Benson, en el sentido de la gran relajación que se produce en cualquier individuo que logra dejar de pensar en lo cotidiano mientras fija su atención en la repetición monótona de una palabra.

La dificultad que entraña este simple ejercicio de meditación, es que mucha gente, demasiada quizá, no puede disciplinarse a practicar el ejercicio todos los días. En mi seminario, con el objeto de obtener mejores resultados, reduje los veinte minutos de cada sesión de meditación a diez minutos. Pero ni así, ya que cuando me reúno con cada grupo treinta días después de haber dictado el seminario —complemento obligatorio del mismo—, son muy pocos, a veces ninguno, los que aceptan estar practicando la meditación todos los días. Sin embargo, en cada reunión de seguimiento al seminario, son muchos los que afirman que su salud ha mejorado notablemente y que su poder de concentración en el trabajo es muy superior a lo que era antes de asistir al seminario "Calidad Total de Vida".

Esta aparente paradoja tiene su explicación: hay dos maneras básicas para romper un patrón crónico de stress (etapa de resistencia), la primera consiste en cambiar nuestras actitudes mentales y estilo de vida para no permitir que se desarrolle un patrón crónico de stress. La segunda establece romper ese patrón crónico de stress practicando diariamente algún ejercicio de relajamiento profundo.

Esto significa que las personas que no pueden —o no quieren— cambiar sus actitudes mentales ni su estilo de vida, deben practicar diariamente la meditación para romper el stress cotidiano, ya que de no hacerlo, el stress acumulado de todos los días acabará por convertirse en un patrón crónico de stress causante de enfermedad.

Por el contrario, las personas que conscientes de los peligros del stress deciden cambiar sus actitudes mentales y estilo de vida, sin necesidad de practicar ejercicios de relajamiento como la meditación, consiguen resultados alentadores. Pero estos resultados podrían convertirse en espectaculares, casi milagrosos, si además de cambiar sus actitudes mentales y estilo de vida practicaran también la meditación.

La razón de esta posible espectacularidad en el cambio de la vida de un individuo la explico en mi libro *Forja de Ejecutivos Innovadores*, y en el seminario "Calidad Total de Vida". Fundamentalmente lo que ocurre es que la meditación sincroniza los tres cerebros del hombre y los dos hemisferios de su neocorteza. Además, este ejercicio estimula la liberación de endorfinas por el cerebro, lo que produce bienestar y ayuda al individuo en el control de diversos hábitos, como el tabaquismo y la drogadicción. Todos estos importantes cambios, sumados al poder de concentración que se desarrolla en el practicante habitual de la meditación, necesariamente expande la capacidad intelectual del individuo. El problema para muchos es la disciplina que se necesita para convertir a la meditación en algo tan natural como sentarse a la mesa a comer. Disciplina que no muchos están dispuestos a adoptar. Allá ellos y su mala cabeza.

Dormir una siesta de veinte o treinta minutos también suele producir buenos resultados en cuanto al manejo del stress, y si a la siesta se le agregan cambios de actitud mental y estilo de vida, es probable que el individuo nunca desarrolle un patrón crónico del stress. Sólo que dormir la siesta no tiene las extraordinarias ventajas que se obtienen cuando se practica la meditación.

Otra manera de distraer la mente y producir un relajamiento profundo, es practicando ejercicios de tensión y relajamiento sucesivo. Estos ejercicios consisten en tensar determinado grupo de músculos durante tres segundos, después de los cuales se afloja y relaja ese mismo grupo de músculos durante treinta segundos. Se pueden hacer acostados en la cama o en el piso. Se empieza tensando los pies (tres segundos por treinta de relajamiento), luego las pantorrillas, después los muslos y por último —en este grupo de músculos— las asentaderas.

En el segundo grupo de músculos se empieza por el estómago, luego la espalda y se termina con el pecho. El tercer grupo lo componen manos, antebrazos y bíceps. Finalmente, se tensan y aflojan los hombros, el cuello y los músculos de la cara.

Practicar este ejercicio en la noche, en la cama, bocarriba y con los ojos cerrados, es un excelente antídoto contra el insomnio. Al terminar de hacer la primer serie de cuatro grupos de músculos, se vuelve a empezar por los pies. La mayoría de las veces, el individuo se queda dormido antes de la cuarta repetición. Algunas personas encuentran muy útil repetir mentalmente, o en voz baja, alguna frase asociada al relajamiento: a) estoy en paz y relajado; b) la ansiedad comienza a desaparecer; c) mis músculos están completamente relajados; etcétera.

Resumiendo, el relajamiento profundo asociado a una distracción de la mente de los problemas que aquejan al individuo, son buena receta para manejar el stress. Y si a esto se le agrega un cambio de actitudes mentales y estilo de vida, se está en camino para aprender el arte de hacer de la vida un arte.

9. Ejercicio físico

Desde que me encontraba estudiando en la Universidad de California de Santa Cruz, frecuentemente me enfrascaba en interesantes polémicas con maestros y compañeros. A finales de la década de los setenta y principios de los ochenta, todo mundo trotaba a toda hora y en todas partes. Sin embargo, yo defendía la caminata como el ejercicio más adecuado para el hombre.

Caminar nace con el hombre, única criatura caminante del planeta. Puede correr rápidamente durante breves periodos, pero sólo lo hace cuando escapa del enemigo o pretende alcanzar alguna presa, porque para ir de un lugar a otro el hombre siempre ha caminado desde el origen mismo de su existencia.

La acción específica de caminar se ha perfeccionado a través de un proceso evolutivo de dos millones de años hasta convertirse en una verdadera sinfonía de movimiento muscular, en la que intervienen más de la mitad de los músculos del cuerpo humano, cuya función primaria es la locomoción. Indudablemente, la naturaleza diseñó al hombre para caminar. Caminar le es tan familiar al ser humano como respirar, y su bienestar físico y mental depende fundamentalmente de estas dos funciones.

Si las personas caminaran treinta minutos todos los días, con un paso rítmico, natural y adecuado, sus vidas cambiarían completamente, porque caminar es magia verdadera. Caminar es la alquimia que transforma al cuerpo y a la mente; es el único ejercicio diseñado por la naturaleza para el hombre. Caminar es receta sin medicina, tranquilizante sin droga, terapia sin psicoanalista. Caminar es verdadera fuente de juventud y complemento obligado de cualquier programa para el manejo del stress.

Cuando una persona comienza a practicar la caminata, la primera sorpresa que se lleva es descubir que caminar aprisa es más fácil y más agradable que caminar despacio. Caminar despacio, en plan de paseo, tiene sus encantos; pero una caminata que de hecho resulte saludable y en la que realmente se disfrute del placer de caminar, es una caminata a paso vivo y sostenida durante treinta minutos.

Cada paso que damos cuando caminamos es una transacción entre el peso de nuestro cuerpo y la fuerza de gravedad. Cuanto más rápido caminamos, más suaves son estas transacciones sucesivas. Cuando caminamos demasiado despacio tenemos que hacer un nuevo esfuerzo con cada paso para vencer la fuerza de gravedad; pero cuando caminamos con paso rápido y firme, el momento de inercia de cada zancada continúa sobre la siguiente sin mayor esfuerzo. Cuando caminamos aprisa tenemos a la ley de inercia trabajando a nuestro favor: "Una vez que una masa se pone en movimiento ésta tiende a mantenerse en movimiento". Y esto ocurre con el cuerpo humano como con cualquier otra masa. Aprisa es más fácil que despacio. Simple cuestión de mecánica de movimiento.

En la práctica clínica he podido constatar los beneficios inmediatos y duraderos en las personas que adoptan la caminata como ejercicio físico diario. Las contracturas musculares desaparecen y con ellas también los dolores de cabeza, de cuello y de espalda. El estado de la circulación sanguínea mejora sensiblemente y la presión arterial se estabiliza en valores normales. Los patrones de stress crónico se rompen y la salud de las personas mejora cuando se bajan del Popo. Caminar es magia verdadera.

Pero no sólo adoptemos la costumbre de caminar como ejercicio, es importante convertir el caminar en algo fundamental de nuestra existencia. Usemos un poco menos el automóvil y un poco más las piernas. Vayan a pie al banco, a la tienda, al puesto de periódicos, a la iglesia. Caminen y notarán que el mundo les sonríe de manera distinta. No se esmeren por estacionar el auto precisamente frente al lugar al que van, traten de dejarlo a seis o siete cuadras. Además del beneficio de la caminata, dejarán de hacer corajes, ya que nunca hay lugar para estacionar el automóvil cerca del lugar al que vamos.

Acostúmbrense a caminar, y muchos de los achaques que hoy les acompañan desaparecerán para siempre. Si acaso practican algún deporte, sigan haciéndolo. Si su vida es sedentaria practiquen deportes competitivos; pero si su vida es altamente competitiva practiquen deportes solitarios, como la caminata, el alpinismo, natación o ciclismo.

Mente sana en cuerpo sano.

10. Sueño y nutrición

El insomnio participa de manera activa en la vida de la sociedad contemporánea. Empresarios, ejecutivos y todo tipo de gente activa se quejan frecuentemente de padecer insomnio.

El insomnio únicamente lo producen dos factores que, si los eliminamos, desaparece. El primer factor es una mente consciente ("la loca de la casa") que no deja de pensar. El segundo es tensión muscular.

Nuestros abuelos solían contar borreguitos para quedarse dormidos. Y lo más simpático es que el truco funcionaba. ¿Y saben ustedes por qué? Simplemente porque al concentrarse en los borreguitos dejaban de pensar en los problemas y preocupaciones cotidianos, y al dejar de hacerlo se relajaban a nivel muscular y se quedaban dormidos.

Cuando estamos muy cansados y concentramos la atención de la mente consciente en un punto fijo —borreguitos, página de un libro, televsión—, rápidamente nos quedamos dormidos. Por eso en vez de pensar en las deudas, las crisis, la suegra y los impuestos, mejor concentren su imaginación en una playa conocida, en la que se encuentran caminando con los pies desnudos por la húmeda arena, sintiendo la brisa en el rostro y escuchando a las gaviotas.

Cuando tú acabas de quedarte dormido caes dentro de un sueño al que la ciencia médica conoce como "SUEÑO

NO-MOR", el cual tiene cuatro discretas etapas de profundidad. En la primera etapa los músculos empiezan a relajarse, la respiración se vuelve regular, la temperatura corporal comienza a descender, lo que te coloca en un umbral de conciencia en el que puedes fácilmente ser despertado, momento en que alegarás jamás haberte quedado dormido. Es una etapa de sueño muy ligero y superficial, pero muy importante porque es la etapa en la que empieza a producirse el relajamiento muscular necesario para inducir el sueño profundo.

Por eso, caminar antes de la cena resulta estupendo para evitar el insomnio, ya que la caminata ayuda a aflojar la tensión muscular residual, lo que nos permitirá, llegado el momento de acostarnos, conciliar rápidamente el sueño. También practicar los ejercicios de tensión y relajamiento sucesivo que se explican en la última parte del capítulo 8, puede resultar de gran utilidad para conciliar rápidamente el sueño.

Cuando existe demasiada tensión residual en cualquier grupo de músculos, difícilmente se puede pasar a las siguientes etapas de sueño, lo que equivale a pasar una mala noche, de sueño inquieto y constante despertar, lo que al despertar por la mañana nos hace sentir como si nos hubieran dado de palos. Por eso es tan importante dejar de pensar y aprender a relajar los músculos en la cama, porque si lo hacemos rápidamente nos quedaremos dormidos.

Durante las etapas segunda y tercera, el sueño se torna, progresivamente, más profundo. Los procesos fisiológicos disminuyen aún más su actividad y cada vez resulta más difícil despertar al individuo. En la cuarta etapa, la más profunda, la respiración es lenta y pareja. El ritmo cardiaco, la presión arterial y la temperatura corporal disminuyen más todavía.

Y son precisamente estos cambios fisiológicos de la

etapa de sueño profundo los que intervienen, junto con las etapas de sueño "MOR", para producir el efecto reparador de una noche de buen dormir.

Inmediatamente después de la cuarta y última etapa de sueño profundo, se manifiesta la etapa de sueño "MOR", denominado así por las siglas de "Movimiento Ocular Rápido", una de cuyas características es el movimiento rápido de los globos oculares en sentido horizontal, movimiento que se produce debajo de los párpados y que resulta de fácil identificación. La otra característica es que durante esta etapa de sueño tienen lugar los sueños –a veces agradables y otras desagradables–, mismos que ocurren todas las noches aunque el individuo no los recuerde.

Estos ciclos de sueño, comenzando por las cuatro etapas de sueño "NO-MOR" y terminando con la etapa de sueño "MOR", se repiten cíclicamente durante la noche, durando cada ciclo entre 80 y 90 minutos, correspondiendo al sueño "MOR" aproximadamente un 10% de esta duración.

Durante el sueño "MOR" aumenta el ritmo cardiaco, la presión arterial, el ritmo respiratorio y la temperatura corporal. La onda cerebral se modifica mostrando una gran actividad de la neocorteza. En otras palabras, da la impresión de que el individuo está despierto. Y en rigor casi lo está, por lo que resulta muy fácil despertarlo durante esta etapa. Durante el sueño "MOR", la persona generalmente cambia de postura en la cama, otras hablan y hasta hay quien se levante y camine. Las ciencias del cerebro concluyen que esta activación cíclica del sistema nervioso central tiene por objeto evitar daños al cerebro y a los músculos.

Los seres humanos suelen dormir entre seis y ocho horas diarias. En la práctica clínica me preocupa quien duerme menos de seis horas y también quien duerme más de ocho horas. Muchos asiduos practicantes de la meditación han descubierto que duermen cuatro o cinco horas diarias sin sentir falta de sueño en momento alguno. Personalmente soy un convencido de que al ser humano se le puede entrenar para dormir solamente cuatro horas diarias sin que esto vaya en detrimento de su salud física ni mental.

Los mejores consejos que existen para que todas las noches sean noches de sueño reparador, son los siguientes: no tengas el televisor en la recámara, es el instrumento que más horas de sueño reparador le roba al individuo, independientemente del peligro que representa quedarse dormido con el televisor encendido, en virtud de que durante el sueño "MOR" el inconsciente graba todo lo que se escucha, que puede ser violencia o mensajes comerciales, pudiendo favorecerse de esta manera patrones de conducta violentos o adictivos. Hacer el amor antes de dormir suele ser una excelente medicina para dormir bien; no te lleves tus problemas y preocupaciones a la cama; camina media hora antes de la cena; cuando apagues la luz, procura que tu mente e imaginación vuelen a lugares agradables hasta que te quedes dormido; y procura cenar frugalmente, por ejemplo, un plato de fruta con queso cottage.

Esto de cenar frugalmente es de vital importancia. Existe en nuestra sociedad la pésima costumbre de cenar tarde, comida muy grasosa y muy abundante. Esto prolonga la digestión hasta seis horas en ocasiones, y luego la gente se extraña de amanecer cansada, como si hubiese estado haciendo ejercicio toda la noche. ¡Pero como no va estar cansada!, si su cuerpo trabajó toda la noche en un pesado y complejo proceso digestivo.

Dicen las voces de la inteligencia, basadas en conocimientos sólidos de fisiología de la nutrición, que el estado óptimo de salud y energía del individuo se obtiene cuando desayuna como rey, come como príncipe y cena como mendigo. Y ésta es una verdad del tamaño de un templo.

Por otro lado, nuestra sociedad moderna, con aroma de "progreso" por todas partes, ha convertido a la alimentación en un ritual de consumo de substancias químicas –colorantes, saborizantes, conservadores– que en rigor son venenos que están afectando la salud de muchas personas, particularmente de los que consumen grandes cantidades de comida industrializada, que por su alta toxicidad genera un alto grado de stress en el organismo que, sumado al stress emocional de los estímulos externos, por necesidad acaba con la salud del más pintado.

Ya vimos cómo durante la primer etapa del "síndrome de adaptación general" se incrementa la secreción de adrenalina, que prepara al individuo para pelear o para huir. Situación que demanda una gran cantidad de energía, por lo que el requerimiento calórico durante un periodo de stress puede incrementarse hasta en un 200%. Si este requerimiento de calorías no es satisfecho, el stress contribuirá a la disminución de la ganancia de peso.

Por otro lado, cuando la ingestión de glucosa es deficiente, el organismo recurre primeramente a las reservas de glucógeno hepático y muscular, y como segunda opción, el organismo recurre a las reservas energéticas que forman las grasas. En casos extremos de stress el organismo recurre a las reservas de aminoácidos.

Lo anterior nos lleva a concluir que, en estados de stress no controlado, es importante que la dieta incluya alimentos ricos en carbohidratos para asegurar el aporte de energía. Pero también es importante aumentar la fuente de proteínas, que servirá para balancear el nivel de triptofano disponible, que sirve para controlar la síntesis de serotonina, lo que promoverá un mejor uso de la energía y un menor deterioro del organismo.

De hecho, cuando se ha aprendido a manejar al stress, la buena nutrición –desde la perspectiva médica–

es en rigor de fácil observancia. La nutrición es un conjunto de procesos mediante los cuales se suministra al organismo la energía necesaria para sus funciones y mantenimiento; así como los materiales necesarios para la construcción, regeneración y reparación de sus estructuras; y las substancias necesarias para la regularización de las diversas reacciones químicas del metabolismo. Todo esto lo obtiene el organismo mediante los alimentos que se ingieren a diario, y que necesariamente deben pertenecer a los cuatro grandes grupos, que son los siguientes:

a) huevos, leche y sus derivados
b) carne, aves, pescado, grasas y aceites
c) cereales, leguminosas y tubérculos
d) verduras, semillas y frutas

Cuando se omiten de la dieta alimentos de cualquiera de estos cuatro grupos, se corre el riesgo de no aportar al organismo las cantidades adecuadas de nutrientes esenciales. Lo que necesariamente va a contribuir a la manifestación de un deterioro en la salud, mismo que se agravará durante una época de stress no controlado.

Platos abundantes de ensalada, verduras cocidas y fruta fresca no deben faltar en la dieta diaria. Deben evitarse, hasta donde esto sea posible, los alimentos elaborados con azúcar y harina refinadas. Es muy saludable substituir el azúcar con miel y la harina blanca con trigo integral. Lo ideal en cuanto a consumo de carne durante la semana es: no comer carne de puerco más que eventualmente y en pequeñas cantidades, dos días comer carne roja, un día pollo y otro pescado, y los tres días restantes no comer carne. Una taza de café de grano al día (equivale a dos de café soluble) y una copa de vino generoso con la comida es costumbre sana. No hay que olvidar que el exceso de café genera stress y el exceso de alcohol destruye al cuerpo y a la mente.

Quizá el ejemplo de dieta utilizada en clínicas geriátricas suizas y alemanas, pueda ilustrarnos a los adultos sobre lo que no debe faltar en la dieta semanal: tres huevos, atún, sardina, salmón e hígado de ternera.

Permita que su alimento sea su mejor medicina, y deje que su medicina sea un buen alimento.

11. Sexualidad

Desde que son pequeños, en la edad de la inocencia, a los niños se les enseña que el sexo es pecado. Se les dice a las niñas, se les advierte a los niños, en su más tierna edad a todos se les dice que el sexo es pecado. La niña crece. El niño crece. Aparece la adolescencia y luego el matrimonio, y así se inicia un viaje a la pasión, ambos convencidos de que el sexo es pecado. De esta manera las enseñanzas tradicionales han destruido la vida marital del mundo entero, y cuando existen prejuicios acerca del sexo y de la vida marital, cuando ésta se halla envenenada, no existe la posibilidad del amor.

En la práctica clínica se perciben las terribles consecuencias de este generalizado error. Mujeres anorgásmicas y eyaculadores precoces, ambos cargando un costal lleno de culpas, ambos sufriendo las consecuencias del stress. Ambos sufriendo la ausencia de la fuerza liberadora del orgasmo total, porque el orgasmo del eyaculador precoz no es más que una convulsión débil y frustrante.

Son muchos los que no han encontrado el valor de los momentos culminantes del juego amoroso: esos momentos únicos, tanto los que coinciden con el orgasmo total como los que le preceden, en que el individuo se siente transportado más allá de las limitaciones que le imponen los problemas personales y las preocupaciones.

A través del orgasmo total de repente volamos, nos sentimos maravillosamente vivos, llenos de luz y gozo, a gusto en un instante que parece que no tendrá fin, en un espacio que nos deslumbra, en un momento cumbre en que el stress intenso tiene la virtud de sacudirnos y ayudarnos a bajar del Popo.

Por eso coincido plenamente con el argumento del doctor Wilhelm Reich, quien sostuvo, pese a las críticas, que todo aquel que no disfrutara intensamente de las convulsiones involuntarias del orgasmo es un neurótico. ¿Y qué podemos hacer ante este complicado fenómeno social de neurosis producida por la falta del disfrute pleno de la sexualidad? La respuesta la di por vez primera en mi libro *Aprende a Vivir Sin Dolor de Cabeza*: la orgasmoterapia. Vocablo compuesto que levantó toda clase de comentarios. Buenos la mayoría. La gente se identificó con él.

Debemos ser amigos del sexo, no enemigos de él. El principio del sexo debiera ser elevado hacia lo más excelso. Si la lascivia es trascendida, el sexo puede transformarse en amor. La verdadera energía sexual solo puede florecer dentro de una sincera fuerza amorosa; pero como la sociedad sólo ha llenado al hombre de oposición al sexo, el amor no ha podido florecer, y la conciencia del hombre sólo se ha enturbiado por la sexualidad. Cada día, el hombre se vuelve más y más sexual. Nuestras canciones, poemas y pinturas están virtualmente centradas alrededor del sexo. Ninguna otra especie es tan sexual como el hombre. Su inteligencia le ha servido para refinar el instinto. El hombre es sexual por todas partes, por cualquier lado que se le mire, despierto o dormido, en sus modales, así como en su etiqueta. Siempre está obsesionado con el sexo.

Y mientras el sexo sea una obsesión, será un gran generador de stress. Pero cuando al erotismo lo acompaña la fuerza del amor, el sexo se transforma en algo excelso, en exaltación de verdadera naturaleza humana, tan escondida o apagada que permite que se pisoteen los derechos humanos y se destruyan los ecosistemas. Urge que en materia de relaciones sexuales la mujer deje de obsesionarse por el compromiso y el hombre deje de obsesionarse por el sexo, porque cuando ambos lo consigan existe la condición propicia para que florezca el amor.

Mientras el hombre siga destruyendo a la mujer a través del sexo, seguirá siendo ese depredador execrable que siempre ha sido, única especie animal que mata por placer, destruye por gusto, tortura y aborta.

El hombre, cualquier hombre, puede tener relaciones sexuales. Cualquiera puede tener hijos; tenerlos nada tiene que ver con la comprensión del sexo. Los animales también procrean, pero eso no significa que sepan algo sobre el sexo. En realidad el sexo no ha sido estudiado en forma científica. No se ha desarrollado ninguna filosofía o ciencia sexual porque todo mundo ha creído saber todo acerca del sexo. Nadie ha necesitado la ciencia del sexo. Esto representa el gran vacío en el saber de la humanidad. El día que desarrollemos totalmente la escritura, la ciencia o un sistema completo de pensamiento respecto al sexo, produciremos una nueva raza humana, promotora de un modelo social más humano, de eslabones vivos que sientan, piensen y actúen de manera diferente.

Como introducción a la ciencia del sexo, puede resultar muy conveniente estudiar tratados occidentales y tratados orientales, ya que la mezcla de culturas definitivamente enriquecerá nuestra cultura sexual. De Occidente recomiendo la obra de la doctora Shere Hite, particularmente sus dos tratados, uno sobre sexualidad femenina y otro sobre sexualidad masculina. De Oriente recomiendo *La Senda del Éxtasis* (El arte de la sexualidad sublime), escrito por Margo Anand, Editorial Roca; y

Del Sexo a la Superconsciencia (conciencia no lleva "s", pero así lo escribe el Editor), escrito por Bhagwan Shree Rajneesh, Editorial Gulaab.

Disfrute intensamente de su sexualidad pero sin caer en el libertinaje sexual, porque todas las bajas pasiones destruyen al hombre.

12. Manejo del stress en el hogar

En mi seminario "Calidad Total de Vida" existe un módulo de tres horas de duración, en el que cada participante tiene que contestar a una larga serie de cuestionarios que ayudarán a identificar las áreas en donde se está generando más stress. En uno de estos cuestionarios titulado "Evaluación de Equilibrio Personal de Stress", la pregunta cuya respuesta es la de mayor puntaje, dice así: "¿Tienes un hogar tranquilo al que te gusta llegar?"

Esta pregunta es fundamental en la vida de un ser humano, soltero o casado, porque en la medida en que el individuo rehuye o atrasa la llegada al hogar, significa que no es feliz allí, por haber incomprensión, discusiones estériles, relaciones frías y hasta maltrato. Y vivir en estas condiciones bajo el mismo techo con personas hostiles, es uno de los más intensos estímulos generadores de stress.

En la práctica clínica, cuando no conozco al paciente, las dos preguntas que nunca dejo de hacerle son las siguientes: a) ¿Es usted feliz en su hogar?; b) ¿Es usted feliz en su trabajo? Si las dos respuestas son negativas, existe un 90% de probabilidades de que la enfermedad de ese paciente la esté causando el stress. No falla. Es impresionante. El problema viene después, cuando hay que convencerlo de que es urgente que se baje del Popo, que cambie sus actitudes mentales, su estilo de vida. Pero hacerlo no siempre es fácil, más bien siempre es difícil cambiar de hogar y de trabajo.

Ahora que, cuando se analizan las causas verdaderas de la infelicidad de un ser humano en el hogar, la mayoría de las veces se puede encontrar que el hombre es desgraciado ¡porque no sabe que es feliz! ¡Eso es todo! Si llegara a descubrirlo sería feliz de inmediato, en ese preciso momento, porque todo tiene su lado amable y bueno, porque la vida misma es un milagro maravilloso que merece ser disfrutado.

Casi siempre encuentro que las actitudes mentales y el estilo de vida del individuo son la principal causa de su infelicidad. Es asombroso comprobar cómo sufren las personas día y noche, jóvenes y adultos, ricos y pobres. Sufrimiento estéril que genera un stress sinfín, agotador, capaz de producir enfermedad y provocar la muerte.

He aquí el problema fundamental de la humanidad.

El hombre moderno pretende ser feliz buscando una atmósfera agradable y acogedora. Quiere vivir relajado en un ambiente feliz. Y para ello se pone a comprar y comprar, porque su cartera está mejor provista que su cerebro y su corazón. Compra cortinas, tapetes y toda clase de muebles extravagantes. Se hace de lámparas exóticas porque quiere una luz suave, una luz crepuscular. Un lugar para sentarse. Un rincón para leer. Un espacio para comer. Oprimiendo un botón puede tener todo lo que se le antoje. Convirtiéndose así en un pobre hijo del bienestar.

Su aspecto es poco feliz. Ríe poco y se pone nervioso con gran facilidad. A fin de cuentas, todos los artículos de lujo lo han dejado vacío e insatisfecho. Quizá sean muy prácticos y valiosos, pero él no puede nunca intercambiar con ellos un gramo de amor. Es el amor el que le falta. Y al faltarle el amor prefiere no llegar a casa.

En cambio, resulta aleccionador y estimulante descubrir que las personas ansiosas por llegar al refugio tranquilo del hogar, son personas felices en las que siempre he encontrado una rica vida interior —no necesariamente religiosa—, siendo casi siempre dueños de una alegría espontánea hacia las cosas pequeñas y poseedores de una gran sencillez. Son capaces de llegar y revolcarse en el piso con el hijo o con el perro, tienen la capacidad para hacer una broma inocente, pueden construir un papalote o un carrito con cartón, palitos y corcholatas.

Son personas que cultivan la bondad y la sabiduría; que buscan la verdad y la comprensión; que aman la caballerosidad y la decencia; que dominan el carácter y la lengua; que defienden el honor y a los débiles; que admiran el talento y la gracia; que combaten la mentira y el ocio; que conservan la salud y el buen humor.

Y si hay algo que me moleste en grado sumo, es ver cómo a una de estas personas ansiosas por llegar a su hogar, se le retiene en el trabajo por horas y horas, sin verdadera causa justificada, sino más bien por capricho de un jefe que gusta sentirse acompañado por sus subalternos al tiempo que les pone el ejemplo de un "supuesto amor por la camiseta" que en realidad —lo he podido constatar muchas veces— no es más que una manera de entretenerse para no llegar a casa.

Son bastantes, quizá demasiados, los empresarios y ejecutivos que tienen un enorme éxito a costa de sacrificar y casi nunca ver a sus familias. El verdadero hombre de éxito, en el sentido más amplio de la palabra, es aquel que triunfa en su profesión trabajando en horarios normales, y que triunfa como ser humano al estar permanentemente al lado de sus seres queridos, ayudándolos a crecer, a desarrollarse y a ser triunfadores.

Ésta es la lección histórica que nos ha dado Japón, que a partir de 1992 instituye oficialmente la semana de 40 horas de trabajo para que los japoneses también tengan tiempo de dedicarse a sus familias, a las que habían abandonado en aras de la productividad, que contribuyó para conducir a esa nación a tener el más alto Producto Interno Bruto en los últimos años. El costo de este éxito es el más alto índice de suicidios infantiles en el mundo, así como un grado sumamente elevado de alcoholismo y drogadicción entre mujeres y adolescentes.

El núcleo de la sociedad es la familia. Haz tu mejor esfuerzo por mantener a la familia unida. No permitas que la familia se deshaga entre tus manos. El amor, la buena voluntad y la comunicación suelen ser suficientes para resolver cualquier crisis hogareña. Pocas son, en rigor, las ocasiones en que la única salida del aprieto familiar es la separación o el divorcio. Y cuando éste es el caso, más vale darle prisa a la ruptura, porque vivir en el infierno es algo que nadie, bajo ninguna circunstancia o pretexto, debe hacer.

En casa no mires el vaso medio vacío, míralo medio lleno. No prestes atención a los defectos de la gente, sino a sus cualidades, pues éstas siempre son más que aquéllos. Nunca te vayas a dormir sin darle las buenas noches a todos, preferentemente acompañadas de un beso cariñoso. Cuando las personas dejan de hablarse un día, dos, tres, están dejando crecer una bola que, si crece demasiado, puede rodar y aplastar a la familia. Por eso la comunicación es tan importante, y hay que saber utilizarla tanto para pedir perdón como para perdonar. No hay fuerza que una más a la familia que vivir en la paz del perdón.

Muchos conflictos familiares pueden resolverse mediante la práctica semanal de lo que he dado en llamar "círculos familiares", en los que todos los miembros de la familia participan, incluso los niños en edad de expresar claramente sus quejas y sentimientos.

Todos deben sentarse alrededor de una mesa y empezando por el miembro más joven, en riguroso orden comienzan a expresar sus quejas en relación a las cosas que más les molestan de la conducta de los demás.

Debe existir libertad de expresión y nadie puede interrumpir al que está hablando.

Cuando un miembro de la familia acumula repetidamente una misma queja, lo más probable es que se trate de una conducta negativa que está afectando a todos los demás, en cuyo caso es necesario aceptar que se está actuando mal y que hay que cambiar de actitud mental. Esto a los padres suele no gustarles, puesto que no estaban acostumbrados a que sus hijos les dijesen unas cuantas verdades.

Y esto es lo que convierte a los "círculos familiares" en una herramienta valiosa para la integración familiar, ya que se instituye una verdadera democracia en la que todos pueden decir lo que sienten –sin gritos ni insultos– sobre la conducta de los demás, incluidos los padres. Y cuando éstos aceptan sus errores y cambian sus actitudes mentales negativas, dan a sus hijos una valiosísima lección que hará que empiecen a modificar voluntariamente sus malos hábitos de buena gana, conscientes de que al hacerlo van a beneficiar a toda la familia. Generalmente, después de la quinta o sexta sesión de "círculos familiares" se comienza a percibir el cambio, y suele ser un cambio extraordinario que va a ayudar a todos a crecer como seres humanos.

Deseo cerrar este capítulo de la misma manera que doy por terminado mi seminario "Calidad Total de Vida", citando las quince reglas de oro del arte de hacer de la vida un arte:

1. Ten tiempo para TRABAJAR, es el precio de la realización.
2. Ten tiempo para DORMIR, es la manera de recuperar energía.
3. Ten tiempo para JUGAR, es el secreto de la juventud.

4. Ten tiempo para RELAJARTE, es el camino a la tranquilidad.

5. Ten tiempo para LEER, es la base del conocimiento.

6. Ten tiempo para HACER EL AMOR, es uno de los sacramentos de la vida.

7. Ten tiempo para DIVERTIRTE, es parte de la felicidad.

8. Ten tiempo para MEDITAR, es la vereda que conduce hacia Dios.

9. Ten tiempo para hacer EJERCICIO, es garantía de salud.

10. Ten tiempo para SOÑAR, es el secreto para llegar a las estrellas.

11. Ten tiempo para ESCUCHAR, es llevar paz a quienes te rodean.

12. Ten tiempo para AYUDAR, es un modo de crecer como ser humano.

13. Ten tiempo para REÍR, es el mejor remedio contra las preocupaciones.

14. Ten tiempo para ofrecer TU AMISTAD, es lo más valioso que puedes regalar.

15. Ten tiempo para ORGANIZAR, es la única forma de conseguir todo lo anterior.

Y por favor, amigo lector, nunca olvides que tu familia es lo más valioso que tienes. No la descuides. La familia es tan importante que la Organización de las Naciones Unidas instituyó el año de 1994 como el año "de la familia". Ámala y ayúdala a crecer —no en cantidad sino en calidad-.

13. Manejo del stress en el trabajo

La segunda fuente generadora de stress más importante después del hogar, puede llegar a serlo el trabajo, lo cual es muy triste, ya que el trabajo debe producirnos grandes satisfacciones. Personalmente estoy convencido de que no hay placer más gratificante en la vida de un ser humano que trabajar en algo que le apasiona.

Si con buen ánimo, atrevimiento reflexivo y osadía prudente se inicia un proyecto, se produce tal cantidad de éxito que la gente suele atribuirlo a la suerte. ¡Atrévete!, una y mil veces atrévete a trabajar únicamente en lo que te gusta, y el triunfo te acompañará por siempre jamás.

Claudio Zapata

El trabajo es el factor más importante para darle significado a nuestra existencia. Cuando nos hemos apasionado por nuestro trabajo, éste deja de ser un medio para alcanzar un fin –enriquecernos, alcanzar una posición social, adquirir poder–. En otras palabras, realizamos nuestro trabajo por la gran satisfacción que nos produce y porque le da sentido a nuestra existencia. Ahora que, si además nos pagan por hacerlo, pues somos muy afortunados. Y lo que me preocupa es que no son muchos los afortunados, lo que contribuye a que el índice de stress sea muy alto entre la mayoría de la gente.

Son demasiados los que han convertido al trabajo como el medio para ser ricos, poderosos y distinguidos. Y la gran paradoja es que cuando más nos preocupamos por el dinero, el poder o la fama, menos aparecen. Pero cuando dejamos de preocuparnos por ellos –tal vez por habernos apasionado por nuestro trabajo– todo empieza a llegar a manos llenas. Esto es algo que me interesa sobremanera que entienda la gente.

Es cierto que muchos que han utilizado al trabajo como medio para enriquecerse, lo han conseguido, sí, pero a qué precio. Generalmente a costa de su salud, ya que el stress crónico –condición típica del que convierte al trabajo en un medio para alcanzar un fin– se ha encargado de hacer estragos en su organismo.

En cambio, el que ha convertido al trabajo en un fin, sufre el stress pero por las emociones que su propio trabajo le produce, nunca sufre de stress crónico. Puede, en un momento dado, trabajar quince horas sin que esto afecte su salud en lo más mínimo. Pero para alguien que utiliza el trabajo como medio, trabajar dos horas extras puede generar tal grado de stress, que quizá sufra un fuerte dolor de cabeza, o una colitis aguda o alguna enfermedad más grave.

Lamentablemente, en el mundo moderno cada vez son menos los empleos que le permiten al trabajador desarrollar actividades que le den sentido a su existencia; por regla general, los empleos no estimulan al trabajador como ser humano y sólo le ofrecen la oportunidad de funcionar (y no muy eficientemente) como parte de una maquinaria. Esta condición es uno de los factores que más stress genera entre el personal de una empresa.

Cuando la política de la empresa está más orientada hacia "resultados" que a "desarrollo humano", el stress que se percibe entre el personal es muy marcado, los síntomas clásicos del stress se manifiestan por doquier, pero pasan desapercibidos porque en la alta gerencia se ignora que lo que le pasa a los empleados tenga algo que ver con el stress. En estos casos la influencia del taylorismo es muy marcada.

Frederick W. Taylor ha sido considerado como el padre de la administración científica y su método sigue empleándose en Estados Unidos, Europa Occidental y la Unión de Estados que conforman a la nueva Rusia. El método Taylor es el de la administración por especialistas. Sugiere que los especialistas e ingenieros formulen normas técnicas y laborales, y que los trabajadores se limiten a seguir las órdenes y las normas que se les han fijado.

El método probablemente fue viable hace 60 años, pero ya no es aplicable en la actualidad. Hace 60 años los ingenieros eran escasos y la mayoría de los trabajadores habían terminado apenas sus estudios primarios, o bien eran analfabetas sin educación primaria. En tales circunstancias el método Taylor probablemente era eficaz. En el mundo de hoy, en la década de los noventa, con trabajadores educados y conscientes, no se puede imponer este método. Lamentablemente su influencia todavía se deja sentir en muchas partes. El método Taylor no reconoce las capacidades ocultas de los empleados. Hace caso omiso del factor humano y trata a los empleados como máquinas.

En América Latina, en Estados Unidos y Europa, son muchas las personas que trabajan solamente para vivir. Trabajan por obligación y casi siempre en algo que no les gusta. Si a las personas se les trata como máquinas, el trabajo pierde todo interés y deja de ser una fuente de satisfacciones para convertirse en un alto generador de stress. Es entonces que el ausentismo se vuelve desenfrenado, y en tales condiciones no es posible esperar productos de buena calidad y confiables.

En cambio en Japón, dice Kaoru Ishikawa, "mediante el control total de calidad con la participación de todos los empleados, incluyendo al presidente, cualquier empresa puede crear mejores productos (o servicios) a menor costo, al tiempo que aumenta sus ventas, mejora sus utilidades y convierte a la empresa en una organización superior".

En su libro *¿Qué es el Control Total de Calidad?*, Kaoru Ishikawa se refiere a los saludables principios democráticos que se practican en los Círculos de Control de Calidad Total, que ofrecen soluciones reales de eficiencia sin atentar contra la dignidad humana. Y dice que es una lástima que mucha democracia perturbe a demasiados ejecutivos de alto nivel en Occidente.

Por otro lado, Alvin Toffler, en su último libro *El Cambio de Poder*, en uno de sus párrafos dice: "No sólo las utilidades excesivas o mal conseguidas, sino todas las utilidades, están determinadas en parte (a veces en una parte muy grande) por el poder más que por la eficiencia. (Incluso la más ineficiente de las empresas puede conseguir utilidades si tiene poder para imponer sus propias condiciones a trabajadores, proveedores, distribuidores o clientes). De hecho, en todas las etapas, el poder es una parte ineludible del proceso de producción en sí —y esto es cierto en todos los sistemas económicos, ya sean capitalistas, socialistas o lo que fueren".

Y como para poner un poco de orden en esta controversia, me permito citar a Fritjof Capra, uno de los pensadores más estimulantes de nuestro tiempo, que en su libro *El Punto Crucial* , dice lo siguiente:

"Esta tecnología orientada hacia el control (de la gente), la producción en masa y la estandarización, suele estar dominada por una administración centralizada cuyo fin es el crecimiento ilimitado. De este modo la tendencia autoafirmante sigue aumentando, y con ella la exigencia de sumisión. Mientras que el comportamiento dominante es el ideal para un varón en esta sociedad, la conducta sumisa se espera de la mujer y también de los empleados y ejecutivos a quienes se les exige negar su personalidad y adoptar la identidad y los modelos de comportamiento de la empresa. Un exceso de autoafirmación se manifiesta en forma de poder, modelo que predomina en nuestra sociedad. El poder político y el económico está en manos de una clase dominante constituida; las jerarquías sociales siguen una línea racista y sexista, y la violación se ha convertido en la metáfora central de nuestra cultura —violación de mujeres, de grupos minoritarios y de la tierra misma".

Este exceso de autoafirmación al que se refiere Fritjof Capra, y que se manifiesta en forma de poder déspota y despiadado, es causante de un alto grado de stress e infelicidad entre mucha gente. Los he conocido que tienen un trabajo por el que se han apasionado; pero el poder torpemente ejercido consigue que se desapasionen rápidamente, convirtiendo al trabajo en tortura cotidiana que hace que las personas vivan permanentemente en la cúspide del Popo, en la etapa de resistencia del síndrome de adaptación general, desarrollando problemas físicos y mentales que necesariamente limitan la productividad.

En mi libro *Forja de Ejecutivos Innovadores*, trato este tema con amplitud, incluso analizo desde la perspectiva de la fisiología y bioquímica cerebral, el abuso del poder. ¿Pero de qué sirve que yo lo entienda mientras la cultura corporativa no quiere entenderlo? ¿Qué consejo puedo darle a un ejecutivo que se encuentra en esta difícil situación?

El primer consejo sería que se busque otro trabajo en el que le permitan apasionarse por lo que hace. De no ser esto posible, hay que ir rápidamente a la farmacia a comprar mil pesos de "pomada de concha", la que se utilizará durante las ocho horas de trabajo en la cantidad que sea necesaria. Después, es urgente encontrar un pasatiempo importante que supla al trabajo en cuanto a darle sentido a la existencia. En otras palabras, si no puedo apasionarme por mi trabajo, debo poder apasionarme por un pasatiempo, como tocar órgano o guitarra, jugar ajedrez, pintar al óleo, escribir... qué sé yo, algo que verdaderamente logre atraer mi atención al cien por ciento. Esto puede ayudar a compensar en algo, o en gran parte, las presiones que se tienen que soportar en el trabajo.

Las reuniones de los miembros de la Sociedad de los Poetas Muertos, se iniciaban siempre con la lectura del siguiente poema:

> *Me fui a los bosques porque quería vivir con intención, quería mamar toda la savia de la vida, para desterrar todo lo que no era vida y para no descubrir, al morir, que no había vivido.*

El ejecutivo moderno, en el civilizado ejercicio de su profesión, debe orientar su destino y el de la sociedad hacia la concepción de un mundo diferente, forjado con principios de ética, excelencia y creatividad, bajo cuya influencia la gente no sólo aprenda a apasionarse por su trabajo, sino que también descubra ese proceso llamado "vida", milagro del que la humanidad se ha olvidado durante la persecución rabiosa e insensata de valores materiales.

Aprender a "ser" y a "vivir" es apremiante. Conocernos y preocuparnos por el planeta y sus habitantes es más importante que atesorar valores. El significado de vivir debe ser un fin. La jornada, el destino. El momento presente lo más importante. Es entonces que la vida cobra sentido. Es entonces que las viejas distinciones que solemos hacer entre ganar y perder, entre éxito y fracaso, se desvanecen para siempre porque hemos empezado a vivir. Esto lo sabían los miembros de la Sociedad de los Poetas Muertos, por eso su ejercicio diario era vivir intensamente en el presente.

Vivir y dejar vivir debe ser el lema del ejecutivo moderno.

14. Manejo del stress en la vida

El despego de las cosas ilusorias; el convencimiento del nulo valer; la facultad de suplirlas en el alma con un ideal inaccesible pero más real que ellas mismas; la certidumbre de que nada, si no lo queremos, puede esclavizarnos, es ya el comienzo de la libertad.

Amado Nervo

Me pareció atinado dar inicio a este capítulo con una cita de Amado Nervo en la que se hace referencia a la libertad.

Libertad que debe ser el don más preciado de los seres humanos y que debe existir en cualquier relación que tenga el hombre. Tenemos que adiestrar al individuo para que sea libre y no para que sea sumiso. La productividad debe derivarse de una libertad que permita al hombre apasionarse por su trabajo y apasionarse por la vida.

Cuando el hombre no es libre, aunque las cadenas que lo aprisionan sean invisibles, sufre un grado de stress importante, cuya peligrosidad radica en la constancia de la manifestación. Y este stress intenso y prolongado causa envejecimiento prematuro. En varios de sus libros, el doctor Hans Selye pone especial énfasis al señalar que el envejecimiento fisiológico no es determinado por el tiempo que transcurre desde el nacimiento, sino por la cantidad total de desgaste y rompimiento a la que el organismo ha sido expuesto.

"Stress es el grado de desgaste y rompimiento que se produce en el organismo". Y cuando este concepto del doctor Hans Selye quede grabado en la mente del ejecutivo moderno —especialmente el que ocupa un puesto de liderazgo—, me sentiré satisfecho de haber hecho bien mi trabajo como consultor en manejo del stress, porque la vida es demasiado valiosa para desperdiciarla sufriendo el stress que nos produce una persona que ni siquiera sabe lo que está haciendo.

Existe, indudablemente, una gran diferencia entre la edad fisiológica y la cronológica. Un hombre puede ser mucho más senil en cuerpo y mente, y estar mucho más cerca de la tumba a los cuarenta años, que otro hombre a los sesenta. El secreto de vivir muchos años —con calidad de vida— depende de nuestra capacidad de adaptación a las condiciones especiales de nuestra vida, adaptación que no contempla permanecer mucho tiempo en la etapa de resistencia del síndrome de adaptación general. Decía el doctor Hans Selye que en las poco más de mil autopsias que realizó, nunca encontró a una persona que hubiera muerto por vejez. Incluso agregaba que, en su opinión, no creía que nadie jamás haya muerto por vejez. Morimos porque una parte vital de nuestro organismo se desgastó muy pronto en relación al resto de nuestro cuerpo, y ese desgaste, por regla general, fue producido por el stress.

Frecuentemente cité en las páginas de este libro la importancia que tiene el aprender el arte de hacer de la vida un arte. Y realmente es un arte, y quien más lecciones me ha dado sobre este arte es Lin Yutang, autor, entre otros libros, de esa extraordinaria obra titulada *La Importancia de Vivir*, en cuyas páginas, muy al principio del primer capítulo, nos dice lo siguiente:

"Porque, después de recorrer el campo de la literatura y la filosofía chinas, llegó a la conclusión de que el más alto ideal de la cultura china ha sido siempre un hombre con un sentido de desapego (takuan) hacia la vida, basado en un sentido de sabio desencanto. De este desapego viene el *alto espíritu* (k'uanghuai), un alto espíritu que nos permite ir por la vida con tolerante ironía y escapar a las tentaciones de fama, riqueza y logro, y eventualmente nos hace aceptar lo que venga. Y de ese desapego surge también un sentido de libertad, un amor por el vagabundeo, el orgullo y la despreocupación. Sólo con este sentido de libertad y esta despreocupación llega uno finalmente a la aguda, a la intensa alegría de vivir".

Hay instantes de la vida en que nos hace falta un amigo hacia quien volvernos... alguien que nos ayude a interpretar la vida, a colocar las cosas en su justa perspectiva y de quien podamos alimentarnos para vivir.

Lin Yutang es un amigo para esos instantes. Luego de exponernos durante tantos años a las voces chillonas y desdichadas de tanta gente desesperada, volver de pronto a la voz serena y más profunda de un viejo amigo que ha estado cerca de nosotros, esperando pacientemente a que se le llame si se le necesita, es una experiencia gozosa. Pidámosle que hable de nuevo, porque en el mundo de hoy hay pocos pensadores a los que necesitamos tanto como a este sabio y tranquilo observador de la vida humana.

"Creo saber lo que quiero –dice Lin Yutang. –He aquí las cosas que me harían feliz. No desearé otras.

Quiero una habitación propia, donde pueda trabajar. Un cuarto que no sea particularmente limpio ni ordenado.

Quiero una habitación cómoda, íntima y familiar. Una atmósfera llena de olor de los libros y de aromas inexplicables; una gran variedad de libros, pero no demasiados... sólo aquéllos que pueda leer o que vaya a leer de nuevo, contra la opinión de todos los críticos literarios del mundo. Ninguno del que se requiera de mucho tiempo para leer, ninguno que tenga un argumento constante ni que ostente demasiado el esplendor frío de la lógica.

Deseo tener la ropa de caballero que he usado algún tiempo, y un par de zapatos viejos. Quiero la libertad de usar tan poca ropa como me venga en gana.

Quiero tener un hogar donde pueda ser yo mismo.

Quiero escuchar la voz de mi esposa y la risa de mis hijos en la planta alta mientras yo trabajo en el piso inferior, y quiero oírlos en el piso de abajo cuando yo esté trabajando arriba.

Quiero niños que sean niños, que salgan conmigo a jugar en la lluvia y que disfruten del baño de regadera tanto como yo.

Quiero un pedazo de tierra en el que mis hijos puedan construir casas de ladrillo, alimentar a sus pollos y regar las flores.

Quiero oír el canto del gallo por las mañanas.

Quiero que en el vecindario halla árboles viejos y elevados.

Quiero algunos buenos amigos que me sean tan familiares como la vida misma, amigos con los que no necesite ser cortés y que me cuenten sus problemas; que sean capaces de citar a Aristóteles y de contar algunos chistes subidos de color, amigos que sean espiritualmente ricos y que puedan hablar de filosofía y usar palabras gruesas con la misma sinceridad, amigos que tengan aficiones claras y una opinión definida sobre la gente y las cosas, que tengan sus creencias particulares y respeten las mías.

Quiero tener una buena cocinera que sepa guisar verduras y hacer sopas deliciosas.

Quiero un sirviente viejo, viejísimo que piense que soy un gran hombre aunque no sepa en qué reside mi grandeza.

Quiero una buena biblioteca, unos buenos puros y una mujer que me comprenda y me deje en libertad para trabajar. En fin, quiero tener la libertad de ser yo mismo".

Palabras de Lin Yutang que, sin querer, se convierten en *Excelencia en el Manejo del Stress*.

Lin Yutang nos habla de lo que hizo en su vida, de sus actitudes mentales y de su estilo de vida. Pero hay hombres que llegan a la vejez y nos hablan sólo de lo que no hicieron, de lo que quisieran haber podido hacer. Uno de estos hombres lo fue Jorge Luis Borges, respetado y admirado escritor, quien poco antes de morir escribiera:

"Si pudiera vivir nuevamente mi vida, en la próxima trataría de cometer más errores. No intentaría ser tan perfecto, me relajaría más.

Sería más tonto de lo que he sido, de hecho tomaría muy pocas cosas con seriedad. Sería menos higiénico. Correría más riesgos, haría más viajes, contemplaría más atardeceres, subiría más montañas, nadaría más ríos. Iría a más lugares adonde nunca he ido, comería más helados y menos habas, tendría más problemas reales y menos imaginarios.

Yo fui una de esas personas que vivió sensata y prolíficamente cada minuto de su vida; claro que tuve momentos de alegría. Pero si pudiera volver atrás trataría de tener solamente buenos momentos. Por si no lo saben, de eso está hecha la vida, sólo de momentos; no te pierdas el ahora.

Yo era uno de esos que nunca iban a ninguna parte sin un termómetro, una bolsa de agua caliente, un paraguas y un paracaídas; si pudiera volver a vivir, viajaría más liviano.

Si pudiera volver a vivir comenzaría a andar descalzo a principios de la primavera y seguiría así hasta concluir el otoño. Daría más vueltas en calesita, contemplaría más amaneceres y jugaría con más niños, si tuviera otra vez la vida por delante.

Pero ya ven, tengo 85 años y sé que me estoy muriendo".

Después de escuchar a Jorge Luis Borges y a Lin Yutang, se puede concluir que la felicidad no tiene recetas, cada quien la cocina con el sazón de su propio carácter. Y con el stress sucede exactamente lo mismo, cada quien tiene que encontrar su nivel natural de stress, dedicándose a hacer lo que más le gusta, trabajar en algo por lo que pueda apasionarse y aprender a adaptarse lo mejor posible a las circunstancias adversas de la vida. Y cuando la adaptación resulta imposible es necesario alejarnos cuanto antes de aquello que nos produce un alto grado de stress.

Recordemos siempre que la felicidad no depende de lo que pasa a nuestro alrededor, sino de lo que pasa en nuestro interior. Es allí donde comienza el arte de hacer de la vida un arte. La mayoría cree que el lujo y los valores materiales son los ingredientes de la felicidad, cuando de hecho lo único que necesitas es algo por lo que puedas entusiasmarte.

Entusiásmate por la vida y tu trabajo, y habrás convertido a la felicidad en una forma de caminar por la vida.

15. Respiración

La vida depende totalmente de la función respiratoria. No hay vida sin respiración, ya que de esta vital función dependen todas las demás funciones biológicas. El hombre puede vivir poco más de un mes sin comer, puede sobrevivir pocos días sin beber agua; pero sin respirar, su vida se acaba en cuatro o cinco minutos. La manera como respiramos no solamente afecta nuestra salud física, sino que tiene un profundo efecto sobre cómo nos sentimos y cómo nos comportamos. La respiración del individuo muestra la forma en que éste se incorpora a la sociedad, la manera en que toma del mundo lo que cree merecer. Muchos sentimientos íntimos son exteriorizados a través de su respiración.

Para algunas personas la inhalación posee connotaciones negativas, pues creen que respirar profundamente implica asimilar el ambiente, con su aire viciado y los malos olores de todos los presentes, creencia que tiene raíces psicológicas, como el temor inconsciente a ser invadido o penetrado por los demás. Lo cual ocasiona que acaben adoptando una respiración superficial. Por otro lado, hay quienes piensan que el sonido que acompaña a la respiración profunda es de índole animal, de muy mal gusto; otros, lo asocian con la cópula o con un estado de ira extrema, por lo que también acaban eludiendo la respiración profunda, expresando inconscientemente su incapacidad para resolver problemas en esas áreas del comportamiento humano.

El individuo que está convencido de ser digno de recibir lo que en justicia le corresponde, tomará a través de una respiración profunda todo el aire que necesita. En cambio, el que siente que al tomar lo que le corresponde está privando de algo a los demás, se mostrará renuente a respirar de manera profunda. También eluden la respiración profunda los que quieren pasar inadvertidos, quienes generalmente pasaron su infancia temerosos de ser castigados, por lo que para sobrevivir les era necesario "hacer el muertito", o sea, pasar inadvertidos respirando apenas, de la misma manera como lo hace una persona que se esconde dentro de un closet para no ser descubierta.

Aprendamos pues a respirar profundamente, con el diafragma, llenando de aire la parte baja de nuestros pulmones, tomando todo el aire que nos merecemos y que necesitamos para disfrutar de buena salud. ¿Se han fijado cómo respira un bebé? Simplemente inhala y exhala de manera profunda y uniforme, levantando rítmicamente su pancita, o más bien su diafragma, ese músculo ubicado entre pecho y cavidad estomacal, sin el cual resultaría difícil, en grado sumo, poder respirar.

Los bebés respiran inteligentemente, pero luego se contaminan de las malas costumbres de los adultos, que tienden a olvidar que la principal función de la circulación sanguínea, es llevar oxígeno al cerebro y a todos los órganos vitales; pero si se respira superficialmente, la sangre no es oxigenada ni purificada adecuadamente en los pulmones, lo cual permitirá el lento envenenamiento de cada célula del organismo. La falta de oxígeno entorpece la digestión. Los órganos y tejidos comienzan a deteriorarse por falta de una buena nutrición a nivel celular. La sangre mal oxigenada contribuye a producir estados de ansiedad, de depresión y de fatiga. En otras palabras, no puede haber buena salud si no hay una respiración profunda que provea al organismo de todo el oxígeno que necesita.

Respirar es vida, por tanto no debe extrañarnos que los pacientes que sufren serios trastornos en su sistema respiratorio, invariablemente experimentan estados de angustia y pánico, puesto que los estados emocionales y los patrones de respiración están íntimamente ligados entre sí. La respiración se vuelve irregular durante una rabieta o coraje, se vuelve lenta y profunda en un estado de relajamiento, y se acelera con el miedo o el stress.

Ahora bien, si nuestras actitudes mentales y estados emocionales afectan directamente nuestra respiración, resulta lógico suponer que, a la inversa, nuestra respiración profunda podría afectar directamente nuestros estados emocionales y actitudes mentales. ¡Y en efecto, así sucede! Una respiración profunda, lenta, rítmica, puede convertir un estado de ansiedad en uno de relativa tranquilidad. Por eso la respiración profunda resulta ser una excelente herramienta de manejo de stress.

Haga la prueba la próxima vez que se encuentre alterado o nervioso por alguna tarea importante que vaya a iniciar, como hablar en público por ejemplo. Dos o tres minutos antes de subir al estrado, practique la respiración profunda, lenta y rítmicamente, tantas veces como pueda hacerlo. Se sorprenderá al descubrir la tranquilidad que experimentará antes de comenzar su discurso.

En estados repentinos de angustia, de ansiedad, de enojo, de susto o de stress, simplemente practique la respiración profunda durante cuatro o cinco minutos. La paz volverá a estar con usted.

La respiración profunda debe practicarse no solamente en estados emocionales alterados, sino tantas veces diarias como sea posible, hasta convertirla en la manera natural de respirar, tal como respiran los bebés, seres inteligentes que sí saben respirar.

16. Cambio de actitudes mentales

William James, el filósofo norteamericano, solía decir que el más grande descubrimiento de su generación era que los seres humanos, al cambiar sus actitudes mentales, podían cambiar los aspectos internos y externos de sus vidas. Luego, con un dejo de tristeza, agregaba: "Pero es una lástima que no haya más gente dispuesta a aceptar y disfrutar este extraordinario descubrimiento".

La gente sufre y es infeliz, no por lo que pasa en el exterior sino por lo que ocurre en su interior, o sea, por sus actitudes mentales, por su manera equivocada de interpretar los sucesos que tienen lugar en el exterior. No es lo que te pasa lo que importa, sino cómo lo tomas.

Un conocido refrán, dice: Si tu mal tiene remedio, para qué te apuras; y si no tiene remedio, para qué te apuras. Dejar de preocuparnos, tanto por las cosas que tienen remedio como por las que no lo tienen, es un saludable cambio de actitud mental que nos permitirá disfrutar más de la vida, sin el agobio incesante del stress.

Sobre esto trata este capítulo: las actitudes mentales que más stress inútil generan, y que, por tanto, son actitudes mentales que urge cambiar para aprender el arte de hacer de la vida un arte.

a) *Quererte a ti mismo más que a nadie en el mundo.*

Esta frase suena egoísta, y en efecto lo es. Pero se trata de un egoísmo natural, sano, altruista, que nos permite estar muy bien para poder entregarnos a servir a los demás. Si no nos queremos más que a nadie en el mundo, no nos cuidaremos ni nos preocuparemos por nuestra salud, y estando enfermos y achacosos ya no podremos servir a la gente a nuestro alrededor, sólo les daremos pena y dolor.

El egoísmo es una característica inherente a la vida. Todo ser viviente que deja de ser egoísta, que deja de preocuparse por sí mismo, se expone a morir víctima de las circunstancias de su entorno.

—De qué sirve que mi madre me diga a cada momento que me quiere mucho —me decía un joven en un seminario, —si no se cuida, si no toma sus medicinas, si de día y de noche me agobia con su sufrimiento y sus dolencias.

Bien decía mi maestro en fisiología, el doctor Koblats, mi más estricto y exigente mentor:

"Asume la responsabilidad de tu salud, no tienes ningún derecho de descuidarla y convertirte en una carga para ti mismo y para los demás".

Y esto es precisamente lo que les pasa a los que no se quieren a sí mismos, que únicamente quieren a todos a su alrededor y acaban convirtiéndose en pesada y achacosa carga para amigos y familiares.

b) *Vivir en el presente sin culpas ni preocupaciones.*

Los dos sentimientos que más daño hacen a los seres humanos, por el stress que generan, son precisamente las culpas (pasado) y las preocupaciones (futuro). Sentimientos inútiles que anulan la posibilidad de vivir intensamente en el presente.

No es la vivencia de hoy la que acongoja a la gente, sino el remordimiento de lo que hizo ayer, o el temor a lo que puede sucederle mañana. Francamente, dos sentimientos tontos, por no decirles más feo, que logran que la persona viva permanentemente en la etapa de resistencia, desarrollando el típico patrón de stress crónico que acaba con la salud de manera impresionante.

Los individuos que habitan permanentemente en el pasado, en el mundo de las culpas, por regla general están llenos de odio, rencor y envidia. Sentimientos destructivos que amargan la existencia de las personas, impidiendo el disfrute pleno de la vida. Afortunadamente existe un antídoto milagroso que elimina rápida y eficazmente la presencia de estas emociones negativas. Me refiero, concretamente, a la paz del perdón, que incluye no sólo el saber perdonar, sino también el saber pedir perdón.

Saber perdonar y pedir perdón libera al hombre de una pesada carga emotiva, y le permitirá crecer como ser humano, desarrollándose en un perfecto equilibrio psicofisiológico en el que no hay cabida para la enfermedad. El individuo que sabe pedir perdón y sabe perdonar, siente una extraña sensación de bienestar que lo hace sentirse "ancho" y satisfecho. Momento cumbre en que la dimensión humana aumenta.

¿Están ustedes de acuerdo conmigo, queridos lectores, en que vivir en el pasado, en la época de las culpas, es vivir en el error?

En el otro extremo, también es un error vivir en el futuro, en la época de las preocupaciones. Deje de preocuparse por lo que va a pasar mañana, mejor ocúpese del presente, viva el hoy intensamente, pues nunca se sabe si habrá un mañana.

Dejar de preocuparnos de ninguna manera significa dejar de planear el futuro. La planeación del futuro es vital si se pretende tener éxito. Pero una cosa es planear, y otra muy diferente, estar todo el tiempo preocupados por un montón de cosas que casi nunca ocurren. "La loca de la casa" es capaz de jalarnos al más profundo de los infiernos con la exhuberancia de la imaginación, a través de la cual crea tragedias humanas, desastres económicos y fracasos políticos. Hay gente que no puede conciliar el sueño nomás de pensar en lo que puede ocurrir mañana, pasado mañana, la otra semana o el mes siguiente. Y lo verdaderamente grave de esta situación, es que todo el tiempo que el individuo le da rienda suelta a su imaginación visualizando la tragedia, su organismo está desarrollando un patrón de stress crónico. En cambio, cuando la tragedia es real, el patrón solamente es uno de stress agudo, o sea, muy intenso pero de corta duración. ¿Entiende ahora por qué preocuparse es tonto?

La receta ideal para evitar las preocupaciones es, en realidad, de fácil observancia: ¡imagínese lo peor!

Imaginarnos lo peor significa visualizar claramente nuestra preocupación, luego hay que preguntarnos: bueno, ¿qué es lo peor que puede suceder? Y una vez que tenemos la respuesta, visualizar claramente lo peor con nuestra imaginación. Estando clara en nuestra mente la tragedia, busquemos inmediatamente la solución a la misma. Todo, absolutamente todo, tiene solución. Recuerda: Si tu mal tiene remedio, para qué te apuras, si no lo tiene, nada ganas preocupándote, solo consigues hacerte daño. Cuando se visualiza lo peor y se encuentra la solución, inmediatamente dejamos de preocuparnos. El gran problema de las preocupaciones es que la gente únicamente se concentra en ellas sin buscarles la solución.

Hay personas que me dicen que lo peor es la muerte, y que ésta no tiene solución. La muerte, en primer lugar, es parte natural del proceso cíclico de la vida, por tanto, no puede ser un problema ni algo malo. Lo que las personas deben de aprender a hacer en relación a la muerte, es cambiar sus actitudes mentales y verla como algo natural, es entonces que realmente empezamos a vivir.

c) *La adaptación como fórmula de sobrevivencia.*

Hace sesenta y cuatro millones de años, la especie de los dinosaurios no tuvo la capacidad de adaptación al cambio brusco de su entorno, ¿y qué paso?, pues simplemente desapareció de la faz de la tierra. Lo mismo le ocurre a cualquier especie vegetal o animal que no se adapta a su medio ambiente.

En el umbral del nuevo milenio, la especie del *homo sapiens* está fallando en su proceso de adaptación a los cambios bruscos que se están dando en la esfera social, económica y política alrededor del mundo, lo que ha dado lugar a que las enfermedades de adaptación al stress estén proliferando de manera alarmante.

Bien decía el doctor Hans Selye que la adaptación es quizá la más distintiva característica de la vida. Adaptación que es el gran secreto para vivir muchos años con calidad de vida. Pero por favor, no se confunda adaptación con sumisión. Los seres sumisos se están adaptando forzadamente a su entorno, lo cual también genera un alto grado de stress. Y peor aun, la indiferencia, que es un estado de adaptación negativo, representativo de la mediocridad, sinónimo del "valemadrismo" que tanto daño hace en nuestra sociedad.

Adáptese con alegría y entusiasmo a su circunstancia. Viva y deje vivir, y si puede, enséñele a la gente a vivir.

d) *Asertividad sin agresividad.*

Ser asertivo es tener la capacidad de expresión de lo que se cree y lo que se siente. A nuestro país le urgen mexicanos capaces de expresar sus inconformidades y sus quejas, en otras palabras, mexicanos asertivos que saben decir "no", y saben protestar ante la injusticia.

No se dejen, pero tampoco se vuelvan agresivos. Con mesura y decencia se puede poner a cualquiera en su lugar. Vivimos en una sociedad manipuladora por excelencia. Todas las mañanas el cincuenta por ciento de la población mundial se levanta dispuesta a aprovecharse del cincuenta por ciento restante. No se dejen, sean asertivos, por que el que se deja sufre el stress crónico de la impotencia.

e) *Jamás pierdas la esperanza.*

En vez de hablar sobre la esperanza, voy a citar un ejemplo que resulta más elocuente que mil palabras. En el libro *Sobrevivir*, de Vitus B♀ Droscher, se describe el siguiente experimento:

"El profesor Rudolf Bilz ha bautizado este experimento suyo, realizado con ratas de campo recién capturadas, con el nombre de *experimento de la esperanza.*

Si uno de estos animales es arrojado a un barreño lleno de agua, cuyas paredes lisas no le permiten salir, al cabo de quince minutos de agotarse y nadar de un lado para otro, en pleno desconcierto, la rata muere a consecuencia del stress.

En circunstancias normales, este tipo de ratas pueden nadar hasta ochenta horas ininterrumpidamente antes de ahogarse. Consecuentemente, la causa de la muerte no es el esfuerzo físico sino solamente el miedo mortal ante una situación sin salida posible.

Al día siguiente se realizó un experimento semejante con otra rata del mismo tipo. En este caso, sin embargo, después de dejar a la rata cinco minutos en el agua, se le lanzó una tablilla por la cual pudo trepar y alcanzar un blando nido preparado de antemano.

Si se arroja al agua a esa misma rata poco tiempo después, pero no se le ofrece la tablilla salvadora, el animal no muere de stress. Aguanta nadando en el recipiente ochenta horas, como un campeón de resistencia, hasta su total agotamiento, animada por *la esperanza* de que en algún momento se le vuelva a arrojar la tablilla salvadora.

Si esto hace la esperanza en un pequeño animal, qué no hará en un ser humano.

No perdamos nunca la esperanza ni la fe en nosotros mismos, por que si lo hacemos le estamos dando al stress la oportunidad de que nos destruya. La vida, en realidad, es muy sencilla, con cada pensamiento construimos nuestro futuro y con cada acción sembramos la semilla que cosecharemos mañana. Tengamos pensamientos constructivos y sembremos buenas acciones, es entonces que habremos aprendido el arte de hacer de la vida un arte.

f) *Agradecimiento.*

No hay don más preciado que el agradecimiento. En las personas agradecidas siempre encontraremos una rica vida interior y una dimensión humana superior.

Este libro, antes de ser formalmente editado por EDAMEX, ha circulado fotocopiado y de manera profusa entre los asistentes a mi seminario "Calidad Total de Vida". Son más de cinco mil personas que lo han leído y que, al expresarme sus opiniones, lo han enriquecido de manera substancial. Gracias al contacto piel a piel y al intercambio de ideas con tantísima gente, es que he crecido como ser humano. Gente linda a la que le debo todo lo que soy.

A ellos, a mis pacientes, a mis amigos y a mi querida familia les entrego mi eterna gratitud.

El seminario "Calidad Total de Vida" que dicta el doctor Claudio Zapata, lo organiza periódicamente y para todo público el Centro Educacional de Hewlett Packard de Mexico.

17. Bibliografía

The Stress of Life. Hans Selye, M.D. 1976. McGraw-Hill.
Beyond Biofeedback. Elmer & Alyce Green. 1977. Delta.
Mind as Healer, Mind as Slayer. Kenneth R. Pelletier. 1977. Delta.
Aprende a Vivir Sin Dolor de Cabeza. Claudio Zapata. 1986. Plaza & Janes.
The Relaxation Response. Herbert Benson. 1975. Avon Books.
The Farther Reaches of Human Nature. Abraham Maslow. 1976 Penguin.
Impact on Psychoendocrine Systems in Cancer and Immunity. Edited by Bernhard H. Fox (Boston University) and Benjamin H. Newberry (Kent State University). 1984. C.J. Hogrefe.
Coronary. Prediction and Prevention. David T. Nâsh, M.D. 1978. Signet.
The Nature and Treatment of The Stress Response. George S. Everly, Jr., and Robert Rosenfeld. 1981. Plenum.
The Magic of Walking. Aaron Sussmann and Ruth Goode. 1980. Simon and Schuster.
Natural Sleep. Philip Goldberg & Daniel Kaufman. 1980. Bantam
Chemicals in Your Food. Franklin Bieknell, M.D. 1979. Emerson Books.
La Necesidad y El Placer De Las Caricias. Doctor Leleu. 1980 Daimon.

OTRA
OBRA DEL AUTOR

FORJA
DE EJECUTIVOS
INNOVADORES

De venta en librerías de prestigio
y tiendas de autoservicio.

EDAMEX